PROFILS JUIFS
DE MARCEL PROUST

JEAN RECANATI

PROFILS JUIFS DE MARCEL PROUST

ÉDITIONS BUCHET/CHASTEL
18, rue de Condé, 75006-PARIS

Si cet ouvrage vous a intéressé, il sous suffira d'envoyer votre carte de visite aux Éditions BUCHET/CHASTEL, 18, rue de Condé, 75006 Paris, pour recevoir gratuitement nos bulletins illustrés par lesquels vous serez informé de nos dernières publications.

AVANT-PROPOS

Ce petit livre revendique le droit à la sensibilité dans la critique littéraire.

Les profils juifs dont il va être question ici n'ont pas pris forme à la suite de l'application d'une « grille » savante. Ma lecture de Proust a été à l'opposé — je veux dire qu'elle a été, d'emblée, et uniquement, une lecture empathique.

L'empathie « seule attitude requise pour comprendre », dit Sartre, suppose une aptitude à l'écoute, certes, mais aussi, me semble-t-il, une implication personnelle éveillant une sorte de consonance intime. L'auteur de cet essai eût lu Proust autrement si, à peine sorti de l'enfance, il n'avait porté l'étoile jaune, et s'il n'avait longtemps vécu sa juiverie comme une disgrâce.

En fait, j'ai abordé Proust innocemment, comme n'importe quel lecteur, et sans présupposés d'aucune sorte. Mais il était inévitable que mon histoire personnelle fît irruption dans ma lecture et qu'elle me rende, plus que d'autres, sensible à certains passages : cette manière de parler de l'aspect physique de Bloch; la scène du restaurant où le narrateur est ballotté de la salle des aristocrates à celle des Hébreux; la récurrence du thème de la francité blonde et rose — signes furtifs qui étaient pour moi autant de fulgurances révélant le juif malheureux.

Ainsi est née une hypothèse intuitive de recherche, grati-

fiante et fragile. J'y étais attaché et je m'en méfiais : je sais trop bien que, comme l'ont écrit Proust et quelques autres, « chaque lecteur est, quand il lit, le propre lecteur de soi-même ».

C'est alors que j'ai entrepris une relecture attentive (au sens de l'« attention flottante », mais délibérément orientée). Mon impression première s'en est trouvée confortée, même s'il m'a fallu nuancer la place spécifique de la juiverie dans la texture de Marcel Proust.

Ce qu'il y a eu d'indiscutablement tendancieux dans ma démarche m'a-t-il conduit à dénaturer Proust? Je pense plutôt l'inverse, et qu'il fallait cette consonance pour dégager une part de sa vérité, et éclairer, parmi tous les portraits possibles de Marcel Proust, la figure banale et pathétique d'un pauvre juif.

J. R.

I

LA JUIVERIE PROSCRITE

Mme Adrien Proust née Jeanne Weil

1

DES AMIS ANTISÉMITES – L'ESTHÉTIQUE DU SAVOIR-FEINDRE – ÊTRE JUIF AVEC TACT

Quand le capitaine Alfred Dreyfus est déclaré coupable et condamné pour la première fois, Marcel Proust a vingt-trois ans. Toute sa jeunesse baignera dans la formidable vague d'antisémitisme déclenchée par l' « affaire ».

Il est juif et non-juif, de « sang » à moitié juif, mais baptisé dès sa naissance. Ce dernier point paraît lui importer : il prendra plaisir à arborer ses brevets de catholicisme et à en souligner l'authenticité, comme un noble peu sûr de lui exhiberait ses lettres de noblesse. Il raconte à son ami Lucien Daudet qu'en fouillant des tiroirs, il a retrouvé de vieux papiers, et parmi eux « le " certificat "... de mon baptême et de ma première communion (pas contemporains l'un de l'autre comme pour X...!) émanant de l'archevêché et de Saint-Louis d'Antin ».

Le hasard – mais est-ce bien le hasard ? peut-être une forme de névrose de destinée le pousse-t-elle à rechercher des situations d'exclu – le hasard, donc, ou la névrose, font que ses amis d'élection sont souvent liés aux milieux les plus antisémites. C'est le cas

de la famille de Lucien Daudet précisément. Lucien
Daudet est le fils d'Alphonse Daudet qui a contribué
au lancement de *La France juive* de Drumont, et le
frère de Léon Daudet, militant actif de l'extrême
droite nationaliste. Un dîner du jeune Marcel Proust
chez les Daudet lui donne l'occasion d'entendre des
propos antisémites. Il est intéressant de lire la relation qu'il en donne le lendemain dans une lettre
à Reynaldo Hahn.

« Dîner hier chez les Daudet (...) Constaté avec
tristesse 1° l'affreux matérialisme, si extraordinaire
chez des gens " d'esprit ". On rend compte du caractère, du génie par les habitudes physiques ou la race.
Différences entre Musset, Baudelaire, Verlaine expli-
quées par la qualité des alcools qu'ils buvaient, caractère de telle personne par sa race (antisémitisme) (...)
Tout cela est bien peu intelligent (...) 4° Mme Daudet
charmante, mais combien bourgeoise. Un malheureux jeune homme arrive, ne connaissant que son
fils qui n'était pas là. Elle a tout fait, malgré elle sans
doute, pour le glacer, au bout de cinq minutes il
était l'" intrus ", et de temps en temps elle disait : " je
ne connais pas Monsieur, je le vois pour la première
fois ". A moi déjà la première fois qu'allant la
voir je la remerciais de m'y avoir autorisé, elle me
répondait : " M. Hahn me l'avait demandé " mot
énorme! L'aristocratie qui a bien ses défauts aussi
reprend ici sa vraie supériorité, où la science de la
politesse et l'aisance dans l'amabilité peuvent jouer
cinq minutes le charme le plus exquis, feindre une
heure la sympathie, la fraternité. Et les Juifs aussi
(détestés là au nom de quel principe, puisque Celui
qu'ils ont crucifié y est également banni et du mariage
du fils [1], etc.) ont aussi cela, par un autre bout, une

---

1. M. Philip Kolb note que Proust fait allusion au premier
mariage de Léon Daudet : il n'y eut pas de mariage religieux.

sorte de charité de l'amour-propre, de cordialité sans fierté qui a son grand prix (...) Au point de vue de l'art si peu maître de soi, savoir si peu jouer est affreux (...). »

Destinataire de la lettre, Reynaldo Hahn est à cette époque (1895) l'ami le plus proche de Marcel Proust, son confident et son complice, et il est lui aussi d'origine juive. Même quand il s'adresse à lui, Proust dissimule sa blessure. Peut-être se la dissimule-t-il à lui-même? L'antisémitisme de ses hôtes n'a pas pu ne pas l'atteindre. Mais il est placé en incidente, comme une sorte d'effet secondaire de leur « affreux matérialisme », comme si le jeune Proust en avait moins souffert que de ce qui a été dit de Musset, Baudelaire et Verlaine. Alors que d'évidence cet antisémitisme a un fondement nationaliste, Proust en déplace l'origine, il l'ennoblirait presque en le christianisant. Substitut commode qui le met hors de cause : au regard du nationalisme, il serait un individu douteux; au regard de la religion, il est un chrétien authentique, et il prend soin de le souligner d'une solennelle et dévote majuscule détonnant chez l'agnostique qu'il était en réalité. Ce qu'apparemment il reprocherait à ses hôtes, ce n'est pas tant d'être antisémites c'est, sans Dieu, de n'avoir pas qualité pour l'être. Il leur en veut surtout de leurs manières grossières de bourgeois, et d'ignorer ce « savoir-feindre » qui n'est rien d'autre qu'une forme raffinée du savoir-vivre.

Quant à lui, il se fait une règle de vie de cette esthétique aristocratique du savoir-feindre. Ne pas approuver. Ne pas protester. Être maître de soi. Rester digne. Pousser la délicatesse jusqu'à éviter à l'interlocuteur antisémite la gêne de s'apercevoir après coup d'une faute de goût.

C'est ainsi qu'il entend un jour Robert de Montesquiou se lancer en sa présence dans une tirade contre les Juifs. Marcel Proust ne dit rien. Le lendemain il lui écrit : « Je n'ai pas répondu hier à ce que vous m'avez demandé des Juifs. C'est pour cette raison très simple : si je suis catholique comme mon père et mon frère, par contre, ma mère est juive. Vous comprenez que c'est une raison assez forte pour que je m'abstienne de ce genre de discussions. J'ai pensé qu'il était plus respectueux de vous l'écrire que de vous répondre de vive voix devant un second interlocuteur. Mais je suis bien heureux de cette occasion qui me permet de vous dire ceci que je n'aurais peut-être jamais songé à vous dire. Car si nos idées diffèrent, ou plutôt si je n'ai pas indépendance pour avoir là-dessus celles que j'aurais peut-être, vous auriez pu me blesser involontairement dans une discussion. Je ne parle pas bien entendu pour celles qui pourraient avoir lieu entre nous deux et où je serai toujours si intéressé par vos idées de politique sociale, si vous me les exposez, même si une raison de suprême convenance m'empêche d'y adhérer. »

Le judaïsme de Mme Proust est tout près de devenir lui-même affaire de convenances. Peu après la mort de sa mère, Marcel Proust écrit à la comtesse de Noailles : « Elle n'avait pas changé sa religion juive en épousant papa, parce qu'elle y voyait un raffinement de respect pour ses parents. »

C'est assez d'être juif. Au moins l'être avec tact.

2

UN VISAGE D' « ÉTRANGER » — NEZ JUIF
ET NEZ ARISTOCRATE — LA GRÂCE DU BLOND,
DU DORÉ ET DU ROSE —
MYSTIQUE DE LA FRANCITÉ

Les traits de Marcel Proust nous sont devenus familiers. Inséparables de l'écrivain lui-même on n'a plus à les découvrir. De son vivant, Proust a dû s'accoutumer à son propre visage — un visage d' « étranger ».

« Il était beau; il l'était d'une beauté un peu italienne — il riait avec complaisance quand je lui disais qu'il ressemblait à un prince italien pour roman de Bourget. » (Fernand Gregh)

Le « pur ovale de sa face de jeune assyrien ». (Jacques-Émile Blanche)

« Ce jeune prince persan aux grands yeux de gazelle, aux paupières alanguies. » (Paul Desjardins)

« Il me rappelait (...) les têtes vues dans les musées, je ne sais quel Greco, quels portraits de l'École Florentine ou Lombarde, je ne sais quel prince persan. » (Léon-Paul Fargue)

« Ce beau visage oriental. » (Comtesse de Noailles)

« Sa face exsangue et sa barbe noire de Christ armé-nien au tombeau. » (Princesse Bibesco)

« L'épaisse chevelure orientale de Marcel Proust. » (Lucien Daudet)

« Il apparaissait parfois vers minuit comme un spectre, en pardessus au plus chaud de l'été, le collet renforcé d'une ouate qui sortait par lambeaux de des-sous son col (...) Un soir, après avoir pendant quelque temps laissé pousser sa barbe, c'était tout à coup le rabbin ancestral qui était reparu derrière le Marcel charmant que nous connaissions. » (Fernand Gregh)

Si l'on se met en quête dans la *Recherche* du double de celui qu'était physiquement Marcel Proust, ce n'est pas le narrateur qui s'impose, mais son cama-rade Bloch, avec sa barbe « crépue et bleutée », ses « cheveux bouclés », son « nez très busqué » et sa ressemblance, aussitôt remarquée par Swann, avec le portrait de Mohamet II par Bellini. « Je reconnais qu'il est assez joli garçon (...), dit Albertine, mais ce qu'il me dégoûte! » Et quand elle apprendra son nom : « Je l'aurais parié que c'était un youpin. »

Marcel Proust lui-même s'accommodait mal de son nez marqué du busquage maternel : un « nez droit, légèrement bossué par un ressaut qui le faisait se désespérer avec coquetterie », dit Fernand Gregh.

Ce nez, il le « passera » donc à Bloch, en en accen-tuant la courbure. On le retrouvera aussi, et de manière plus surprenante, dans le visage des Guer-mantes, que, de génération en génération, la nature dote d'un nez recourbé — l'une des marques à quoi se reconnaît leur race. Busquage inattendu, qui avait pour origine, semble-t-il, la réalité du nez de la comtesse de Chevigné dont Proust fut un peu amou-reux dans sa jeunesse avant d'en faire l'un des « modèles » de la duchesse des Guermantes. Les Guermantes, écrira Proust dans une première esquisse des personnages de la *Recherche* avaient « un nez trop busqué », mais il a soin de préciser aussitôt, comme pour se garder d'une incongruité : « quoique sans aucun rapport avec le busqué juif ». Pour faire la différence entre les deux types de nez, également busqués au regard, mais de tonalités si opposées, il faut se référer non aux critères de la géométrie, mais à la distinction proustienne entre les « yeux du corps » et les « yeux de l'esprit ». Les yeux du corps constatent un busquage commun. Les yeux de l'esprit que l'on peut soupçonner de ne pas répugner aux pétitions de principe, créditent les aristocrates, parce qu'ils sont aristocrates, d'un busquage aristocratique, et les Juifs, parce qu'ils sont juifs, du busquage juif, bien près de devenir, pour peu que les yeux de l'esprit s'y attardent, l'un un noble, l'autre un vil busquage.

Les Guermantes ont surtout une couleur, une couleur bien à eux — autre marque de leur race : ils sont blonds, dorés, et roses de toutes les nuances, l'inverse du brun-noir juif, dont Proust, comme Bloch, est affligé, et auquel, seul des Juifs de la *Recherche,* Swann échappera — mais Swann est un cas à part, il est presque un Guermantes. Le blond, le doré, le rose seront, au-delà des Guermantes, les couleurs mêmes de l'aristocratie, et au-delà de l'aristocratie, les couleurs mêmes de la francité. Dès *Les Plaisirs et les Jours* jusqu'à *Jean Santeuil* et la *Recherche,* la beauté sera toujours associée chez Proust au blond, au doré et au rose[1]. Il n'est jusqu'aux bonheurs les plus immatériels, la petite phrase de Vinteuil, la voix de la Berma,

---

1. Albertine ferait exception à la règle : brune, elle se sauve grâce à sa roseur, et, dit le narrateur, « à vrai dire cette brune n'était pas celle qui me plaisait le plus, justement parce qu'elle était brune ».

qui ne seront lumineux : dorés, irisés, ensoleillés de leur propre éclat.

Signes de grâce, le blond, le doré et le rose alliés à la délicatesse du visage ne le sont pas de n'importe quelle grâce : ils annoncent cette grâce typiquement française, celle de l'église de Saint-André-des-Champs, « dorée comme une meule », ou celle des humbles paysannes, sœurs en francité des duchesses, opposée à l'infortune qui alourdit les traits et les manières des Hébreux. Jamais Marcel Proust ne tombera dans l'antisémitisme (les reproches de son ami Robert Dreyfus ne paraissent pas justifiés), mais une mystique de la francité l'habite : une mystique singulière, dont le fondement est esthétique. Voici le narrateur avec Saint-Loup dans le restaurant où coexistent en s'ignorant aristocrates et « Hébreux » :

« Pour les Juifs (...) il en était peu dont les parents n'eussent une générosité de cœur, une largeur d'esprit, une sincérité, à côté desquelles la mère de Saint-Loup et le duc de Guermantes ne fissent piètre figure morale par leur sécheresse, leur religiosité superficielle (...) et leur apologie d'un christianisme aboutissant infailliblement (...) à un colossal mariage d'argent. Mais enfin chez Saint-Loup (...) régnait la plus charmante ouverture d'esprit et de cœur. Et alors, il faut bien le dire à la gloire immortelle de la France, quand ces qualités-là se trouvent chez un pur Français, qu'il soit de l'aristocratie ou du peuple, elles fleurissent (...) avec une grâce que l'étranger, si estimable soit-il, ne nous offre pas. Les qualités intellectuelles et morales, certes les autres les possèdent aussi, et s'il faut d'abord traverser ce qui déplaît et ce qui choque et ce qui fait sourire, elles ne sont pas moins précieuses. Mais c'est tout de même une jolie chose et qui est peut-être exclusivement française, que ce qui est beau au jugement de l'équité, ce qui vaut selon l'esprit et le cœur, soit d'abord charmant aux yeux, coloré avec grâce, ciselé avec justesse, réalise aussi dans sa matière et dans sa forme la perfection intérieure. Je regardais Saint-Loup, et je me disais que c'est une jolie chose quand il n'y a pas de disgrâce physique pour servir de vestibule aux grâces intérieures, et que les ailes du nez sont délicates et d'un dessin parfait comme celles des petits papillons qui se posent sur les fleurs des prairies, autour des Combray; et que le véritable *opus francigenum* (...) ce ne sont pas tant les anges de pierre de Saint-André-des-Champs que les petits Français, nobles, bourgeois ou paysans, au visage sculpté avec cette délicatesse et cette franchise restées aussi traditionnelles qu'au porche fameux, mais encore créatrices. »

Seul maître de ses personnages, Marcel Proust avait la liberté de les modeler comme il l'entendait. Jean Santeuil et le narrateur pouvaient être calqués ou non sur sa propre image. Proust a préféré le plus souvent se tourner le dos à lui-même.

Physiquement, Jean Santeuil recevra dès sa première apparition une « petite figure blonde », et s'il devient ensuite, à la faveur de son portrait par La Gandara, semblable à Marcel Proust peint à vingt-quatre ans par Jacques-Émile Blanche, du moins est-ce à un Proust triomphant, « brillant jeune homme » métamorphosé par les succès mondains. Jadis « désordonné, toujours mal mis, dépeigné », il a maintenant « une chevelure noire et douce, brillante et coulante, s'échappant en ondes comme au sortir de l'eau ». Il a surtout accédé au bonheur suprême du rose, même si ce rose n'est pas encore très affirmé : son visage autrefois « toujours pâle » a cédé la place à des « joues pleines et d'un rose blanc qui rougissait à peine aux oreilles ». Avec « sa mine lumineuse et fraîche comme un matin de printemps », la « délicatesse heureuse de sa vie » dont ses traits portent témoignage, il reste, malgré la chevelure noire retrouvée, tout à l'opposé du Juif et de sa disgrâce.

Quant au narrateur, il est, de tous les personnages de la *Recherche,* le plus chichement décrit. Il faut attendre dix-huit cents pages et l'arrivée au Grand-Hôtel de Balbec des deux « courrières », Céleste Albaret et sa sœur, pour que des témoins extérieurs nous disent enfin son apparence. Céleste Albaret s'en chargera avec son ton familier au « naturel presque sauvage ». Elle regarde le narrateur en train de tremper ses croissants dans son lait. Elle voit « un petit diable noir aux cheveux de geai », des « joues amies et fraîches comme l'intérieur d'une amande », des « petites mains de satin tout pelucheux », un « teint clair », une « jolie peau ». Elle voit « un seigneur ». Le narrateur proteste : « je ne me sentais pas seigneur du tout ». Mais la sœur de Céleste confirme et surenchérit : « Rien que pour poser sa main sur la couverture et prendre son croissant, quelle distinction! il peut faire les choses les plus insignifiantes, on dirait que toute la noblesse de France, jusqu'aux Pyrénées, se déplace dans chacun de ses mouvements ». « Vous avez tout d'un oiseau », lui dit encore Céleste. C'est l'image dont Proust s'était lui-même servi dans ses esquisses des Guermantes, issus de la fécondation d'une déesse par un oiseau.

Ce n'est sans doute pas par hasard si, de tous les personnages de la *Recherche,* Proust a choisi pour faire le portrait du narrateur et le hausser jusqu'aux sommets non pas l'un des mille personnages « inventés », mais l'un des rares personnages « réels », Céleste Albaret, sa servante et le témoin de sa vie de tous les jours, et si de Céleste et de sa sœur il a fait malicieusement deux xénophobes détectant et détestant de confiance la « vermine » des étrangers.

3

*ÊTRE AIMÉ – MAUVAISE MÈRE
ET MÈRE D'ADOPTION –
LA MAUVAISE MÈRE ENJUIVÉE*

Le meilleur portrait de Proust est de Proust lui-même. Il est vrai qu'il date d'une époque où il était à peine Marcel Proust : il n'avait à peu près rien écrit. On lui présenta le « questionnaire » qu'il contribuera à rendre célèbre. Il le remplit, et l'intitula « Marcel Proust par lui-même ». Parmi toutes les questions posées, on lui demandait de définir le principal trait de son caractère. Sa réponse tient en quelques mots : « le besoin d'être aimé et, pour préciser, le besoin d'être caressé et gâté bien plutôt que le besoin d'être admiré ». Il avait à peine plus de vingt ans. Marcel Proust restera ce jeune homme qui aimait être aimé. Son œuvre va en porter la marque.

Jean Santeuil devait être un roman, le premier roman de Marcel Proust. Il est resté à l'état de « brouillon » inachevé, dont l'inachèvement permet d'appréhender le travail de création littéraire au premier degré de son élaboration, avant que la maturité, la maîtrise, le caractère public de l'œuvre viennent enrober les données de base de la spontanéité : les mythes et les fantasmes de l'auteur s'y révèlent plus proches de l'état brut. Par rapport à la *Recherche, Jean Santeuil* serait comparable aux rêves enfantins, transparents, élémentaires, exempts de la plupart des métamorphoses qui sont l'inévitable lot des rêves inavouables.

A travers la diversité des scènes éparses qui se succèdent, une figure se répète avec une remarquable constance : celle de l'abandonné qui se voit refuser toute affection, du proscrit à qui l'on refuse de donner la main, du solitaire condamné à l'esseulement. Plus que la *Recherche,* plus clairement que la *Recherche, Jean Santeuil* est le roman de la déréliction.

L'abandon *princeps* est ici l'abandon par la mère. *Jean Santeuil* s'ouvre par la scène que l'on retrouvera au début de la *Recherche.* L'abandonné est le petit Jean, que sa mère laisse seul dans son lit et prive pour la première fois de son baiser du soir, ce « don attendu avec une impatience fiévreuse dont le merveilleux pouvoir calmait comme par enchantement (...) son cœur agité ». C'est la présence d'un invité qui condamne Jean à connaître cette angoisse, mais, autant qu'au tiers importun, l'enfant en veut à sa mère : « il se disait que sa mère était vraiment bien dure de le faire souffrir ainsi ».

L'image de la mère dure refoulant la mère douce va revenir avec insistance : Jean aime d'un amour d'enfant une petite fille, sa compagne de jeux. Un tiers importun va s'interposer, qui le séparera d'elle, et ce tiers importun est cette fois sa mère elle-même. Jean se laisse aller à crier qu'elle est une « méchante créature », « qui ne veut que faire du mal à son fils ».

Un peu plus tard, après son « internement » à Henri-IV où il est envoyé « comme un enfant que l'on

abandonne le matin au pied d'un réverbère », Jean
renaît à la vie grâce à l'amitié fervente qui le lie à l'un
de ses condisciples, Henri de Réveillon; les parents
du jeune homme, le duc et la duchesse de Réveillon,
lui manifestent leur estime. Jean retrouve un bonheur perdu qui bientôt, comme l'autre, va être
saccagé. Un jour où Jean se prépare à dîner avec
Henri, Mme Santeuil intervient : « Je trouve que tu
vois beaucoup trop Réveillon comme cela, il faut que
cela change », puis M. Santeuil : « " Réveillon (...) est
une franche petite canaille, tu peux lui écrire que tu
n'iras pas ce soir. — Jean n'a rien à écrire, dit Mme Santeuil (...) je viens d'envoyer un mot à Réveillon en lui
disant que Jean ne viendra ni ce soir ni de longtemps. " (...) Jean sentit une honte inconnue s'emparer de lui (...) Il entendait la colère qui venait battre
de ses coups furieux et impuissants contre son cœur
comme des vagues. Chaque fois c'était une nouvelle
vengeance qu'elle venait apporter contre ses parents,
une plus forte injure qu'elle grondait distinctement (...) Et toute sa tendresse errante, chassée du
foyer paternel et n'y voulant plus rentrer, se portait
tout entière vers Henri. Il se mit à se désoler et à
pleurer (...) Il voulait habiter chez lui. La duchesse
serait certainement heureuse de lui donner une
chambre. »

Jean se réconciliera avec ses parents le soir même,
et il retournera chez les Réveillon, mais la faille
demeure : face à son père et à sa mère il a désormais
une famille d'élection. Chez les Réveillon tout est
luxe et beauté, et, plus encore, douceur apaisante :
leur salle à manger est somptueuse, comme il sied
à de grands seigneurs, nobles depuis des siècles — elle
est surtout accueillante, dispensatrice de « bien-être,
de chaleur, de clarté, de gourmandise, de paresse
frileuse ». Jean est plus qu'un invité, il est adopté par
les Réveillon : « pour la première fois, la duchesse

parlait à Jean de la tendresse qu'ils avaient pour lui ».
Quand il quitte les Réveillon, la maison de ses parents
lui paraît une « prison », son père un « geôlier ».
« Il se mit à table, le dîner était bien peu de chose
auprès des dîners des Réveillon. Pourtant sa mère le
gronda de prendre tant de dessert, disant qu'il se
ferait mal à l'estomac. » Si la mère est d'abord nourricière, c'est la duchesse de Réveillon qui est en
train de devenir la vraie mère de Jean. Au fait, il
arrive que des visiteurs le confondent avec Henri,
et Marcel Proust en vient lui-même à les confondre,
multipliant les lapsus.

Voici qu'un nouveau personnage apparaît,
Mme Marmet, qui est doublement à l'opposé de la
duchesse de Réveillon : la duchesse est de sang royal,
elle occupe naturellement la première place dans la
hiérarchie mondaine; Mme Marmet est une bourgeoise qui rêve de se faire un nom dans le monde des
salons. La duchesse est tendre et généreuse avec Jean.
Mme Marmet est mesquine, et dure avec quiconque lui
est socialement inférieur; elle ignore la position
que Jean s'est désormais acquise grâce à la protection
des Réveillon.

Jean a été invité à dîner chez Mme Marmet, mais,
comme ces invités de seconde zone admis chez Mme Daudet, il n'est pas un invité à part entière, et Mme Marmet
tient à le faire savoir aux autres convives, plus prestigieux : « "Vous savez que, quoique quatorzième,
vous avez droit à la glace ", dit d'une voix cristalline
à un jeune homme placé au bout de la table qui
venait de refuser de la crème, la belle Mme Marmet,
dans l'esprit de qui ce trait charmant était moins destiné à éblouir ses convives qu'à leur montrer qu'un
accident de la dernière heure avait été nécessaire
pour lui faire admettre à sa table élégante un jeune
homme sans nom et sans situation ». Quelques ins-

tants plus tard, craignant de n'avoir pas été comprise de tous : « " Votre mère n'a pas été fâchée qu'on vous enlève ainsi au moment de se mettre à table ? " Traduction : " Vous entendez bien, vous tous, c'est pour que vous ne soyez pas treize, c'est tout à fait à la dernière heure, où on n'a pas le temps de demander qui on veut. Vous ne pouvez pas m'en vouloir. " »
Puis : « " Allons, Julien, dit-elle en se tournant vers son fils, as-tu présenté ton ami à ces messieurs ? " Traduction : " Car ne croyez pas que ce soit de mes relations, c'est un camarade de classe de mon fils. On ne choisit pas. " »

Jean est humilié, rejeté par une femme mauvaise. Absente de la scène, trop lointaine pour que Jean puisse se confier à elle, Mme Santeuil ne sait rien, ne devine rien — au contraire : « Le lendemain matin, Mme Santeuil, flattée par le récit de la maison si brillante où son fils avait dîné entre un académicien et un ambassadeur, mais ne voulant ni se l'avouer, ni surtout le lui laisser voir, lui dit : " Je suis contente quand je te vois aller comme cela dans un milieu intelligent ". »

L'humiliation la plus grave reste à venir; elle se manifestera à l'occasion d'une soirée à l'Opéra. « Mme Marmet avait invité Jean à l'Opéra pour un lundi assez éloigné. Mais la première de *Frédégonde* fut reportée à ce lundi-là, la représentation promit d'être très brillante et Mme Marmet fut agacée de ne pas avoir plutôt donné sa place à quelque monsieur de l'Union ou de l'Agricole qui ferait remarquer sa loge par les dames du Faubourg. » Jean ne se verra même pas réserver dans la loge le strapontin du « quatorzième » : il est congédié de la soirée, tandis que Mme Marmet compte sur la présence de trois nobles, M. de Minuls, M. de Lutz et le prince de T.

A partir de cette situation, un complot bienfaisant va se nouer, dont tous les fils seront tirés par la

duchesse de Réveillon, mère salvatrice et toute-
puissante. « Le lundi, la duchesse de Réveillon vit
après le déjeuner chez le duc de Chartres M. de Lutz,
M. de Minuls et le prince de T. Ils dirent qu'ils
allaient tous les trois à la première de *Frédégonde* dans
la loge de Mme Marmet. Elle s'approcha du duc de
Chartres et lui dit quelques mots à l'oreille : " Vous
me feriez bien plaisir ", lui dit-elle. » Cédant à la
demande de la duchesse de Réveillon, le duc de
Chartres obtient des trois nobles qu'ils lâchent
Mme Marmet : « A cinq heures, Mme Marmet reçut un
télégramme de Lutz, à six heures un télégramme
du prince de T., à sept heures un télégramme de
Minuls. » Il est trop tard pour que les Marmet
puissent trouver des invités de remplacement, mais
sous peine de catastrophe mondaine leur loge ne peut
rester vide.

 « " Je vais inviter Schlechtemburg [dit M. Marmet].
— Je te le défends, dit Mme Marmet, il vaut mieux rien.
Si Schlechtemburg n'était qu'un coulissier juif qui ne
connaît personne, les gens pourraient encore croire
que c'est quelqu'un de mieux. Mais il a escroqué les
Réveillon et les La Rochefoucauld qui le reconnaî-
tront, et je ne me soucie pas d'être disqualifiée aux
yeux des deux plus grandes familles de France.
Merci ! — J'aime mieux tout que de rester en tête à
tête avec toi (...) Nous nous ferions moquer de
nous (...) — C'est vrai. Invitons Schlechtemburg. "
Schlechtemburg accepta car il était toujours libre. Il
était dans la loge quand M. et Mme Marmet arri-
vèrent (...) La grande avant-scène des Réveillon était
vide (...) Mais à ce moment on aperçut du monde
dans le fond de l'avant-scène, puis apparurent, prirent
place et s'assirent le duc et la duchesse de Réveillon,
Henri de Réveillon, la duchesse de La Rochefoucauld,
S.M. le roi de Portugal, le prince d'Aquitaine, la
duchesse de Bretagne et un jeune homme dont M. et

Mme Marmet ne virent pas d'abord la figure, car le roi de Portugal en lui rajustant sa cravate empêchait de le distinguer. Mais le roi de Portugal s'assit et M. et Mme Marmet reconnurent Jean Santeuil. Ses regards rencontrèrent ceux de M. Marmet qui le salua profondément. »

Jean pourrait savourer sa revanche. Il n'en fait rien. Ses réactions seront empreintes de noblesse, car il a naturellement fait siennes les manières de son milieu d'adoption : « Au premier entracte Jean voulut sortir. " Je suis sûre que c'est pour aller voir Mme Marmet, lui dit la duchesse en l'arrêtant. – Oui, Madame la duchesse, dit Jean, honteux de son beau mouvement. – Mon petit Jean, je vous le défends, entendez-vous, reprit la duchesse. Je vous aime comme mon fils, je peux bien vous parler comme votre mère (...) Depuis que je sais ce qu'elle vous a fait je défendrai à tous nos amis d'aller jamais chez elle (...) N'allez pas chez tous ces gens-là. Vous aurez bien assez, si vous voulez sortir, de tous nos amis qui vous adorent déjà tous, qui vous traiteront comme si vous étiez le frère d'Henri (...) N'est-ce pas que j'ai raison, Sire ? " dit la duchesse en se tournant vers le roi à qui elle avait raconté pendant le dîner l'histoire des Marmet invitant puis désinvitant Jean Santeuil. » Le roi répond en réservant à Jean l'honneur de l'accompagner pendant l'entracte : « Laissez-moi emmener (...) mon petit Jean qui va finir de me raconter le procès de Ruskin et de Whistler qui m'intéresse beaucoup, et puis nous défierons Mme Marmet. Puisque j'ai un nouvel ami, il faut que les Parisiens le sachent en le voyant avec moi. »

Voilà Jean consacré (et, au-delà de Jean, Marcel Proust lui-même qui, au moment où il écrit *Jean Santeuil,* vient de découvrir Ruskin et va commencer à le traduire). Voilà surtout Jean agréé avec éclat par sa nouvelle famille, spectaculairement agrégé à elle.

Dans cette apothéose sans nuance, une frontière sépare les deux camps en présence, menés chacun par une femme : le « côté Marmet », avec son ignominie et son Schlechtemburg, le « côté Réveillon » avec sa noblesse, son roi et ses ducs.

Mme Santeuil est de nouveau absente, mais sans qu'il y ait cette fois vacance maternelle : la place laissée vide de la mère est occupée par la duchesse de Réveillon. Que Proust l'ait voulu ou non, Mme Santeuil est récusée; elle s'est récusée elle-même par carence, faute d'avoir été une mère vigilante capable de pressentir et de conjurer les dangers qui menaçaient son fils. L'aurait-elle même voulu? On se rappelle l'injustice entêtée dont elle a fait preuve pour séparer Jean des Réveillon, son aveuglement satisfait après la première soirée chez les Marmet. Mme Santeuil penche du côté Marmet. Et si l'on admet que dans la création littéraire rien n'est fortuit, on remarquera que le nom choisi par Proust pour désigner la méchante femme, ce nom de *Marmet* est l'anagramme de *ma mère*. Mme Marmet, dure avec Jean alors qu'il est compatissant avec elle au moment même où il est victime de sa dureté, cette Mme Marmet qui ne cesse de vouloir exclure Jean, de le repousser, cette repoussante Mme Marmet est l'extrême avatar de la mauvaise mère, de la mère injuste et incompréhensive dont nous avons vu Mme Santeuil prendre parfois les traits.

Et ce personnage de Schlechtemburg, coulissier escroc et juif? Il est là pour la symétrie, certes. Il fallait bien un pendant au roi, et qu'au paradigme de la plus haute noblesse et de la plus pure générosité s'opposât son contraire. Si l'on admet encore que le hasard ne trouve pas place dans l'imaginaire, on se demandera pourquoi Marcel Proust a été amené à faire de cet escroc un juif. A demi juif lui-même, Proust ne peut avoir cédé à cet automatisme des mécanismes verbaux qui aurait conduit un écrivain antisémite de sa génération à accoler spontanément les deux épithètes. A moins que ce n'ait été pour lui une manière d'échapper à la pesanteur de la juiverie, de se donner et de donner la preuve que cette pesanteur n'en est pas une, comme il est arrivé, comme il arrive, que des politiques ou des publicistes d'origine juive veuillent devancer la suspicion qu'ils croient *a priori* susciter et pensent désarmer leurs adversaires en affichant les marques d'une bonne volonté compréhensive.

Il reste que l'escroc juif Schlechtemburg est introduit non pas dans un passage quelconque de *Jean Santeuil*, mais précisément dans cette scène de l'Opéra lourde dans sa naïveté même de significations sousjacentes, et que, voulant accentuer la bassesse du côté Marmet, Marcel Proust l'a ainsi « enjuivé ». S'il est vrai que cette scène traduit le désir fantasmatique de l'auteur-personnage de rejeter la mauvaise mère pour retrouver la mère aimante, alors la juiverie de Schlechtemburg accolée à Mme Marmet serait un indice supplémentaire : elle surdéterminerait en quelque sorte ce qui apparaissait déjà dans l'involontaire anagramme. La méchante et enjuivée Mme Marmet à qui Proust fait échapper son héros n'est-elle pas *ma mère juive?*

Le rejet d'une mère est trop monstrueux pour pouvoir être soupçonné, même si c'est à son insu que l'auteur l'a inscrit dans le filigrane de la fiction romanesque. Marcel Proust avait une mère juive. Il fallait que la mère de son *alter ego* dans le roman ne le fût pas. Mme Santeuil sera, si l'on peut dire, plus que non-juive. Marcel Proust l'a faite antisémite, « issue d'un milieu où pesait sur les juifs la défiance la plus profonde », se sauvant lui-même doublement : de la juiverie et du matricide.

4

ENFANT « NERVEUX »
ET « TERZO INCOMODO » −
LA MADELEINE ET LA MÈRE PERDUE −
NÉVROSE ET JUIVERIE

Enfant « nerveux », Marcel Proust ne guérira jamais de son nervosisme. Le tempérament angoissé qui sera toujours le sien, son asthme, son « manque de volonté », sa frilosité maladive, son rapport à l'argent aussi, tout cela est bien connu, et constitue, avec d'autres, les divers signes d'une névrose dont il était au demeurant très conscient. On peut supposer que c'est à lui-même qu'il pense quand, dans la *Recherche,* le docteur du Boulbon dit à la grand-mère du narrateur : « Supportez d'être appelée une nerveuse. Vous appartenez à cette famille magnifique et lamentable qui est le sel de la terre. Tout ce que nous connaissons de grand nous vient des nerveux. Ce sont eux et non pas d'autres qui ont fondé les religions et composé les chefs-d'œuvre. Jamais le monde ne saura tout ce qu'il leur doit et surtout ce qu'eux ont souffert pour le lui donner. Nous goûtons les fines musiques, les beaux tableaux, mille délicatesses, mais nous ne savons pas ce qu'elles ont coûté à ceux qui les inventèrent, d'insomnies, de pleurs, de rires spasmodiques, d'urticaires, d'asthmes, d'épilepsies, d'une angoisse de mourir qui est pire que tout cela. » Le docteur du Boulbon se trompe peut-être dans son diagnostic sur la grand-mère. Marcel Proust ne se trompe pas sur lui-même.

Mais il est difficile d'être l'analyste de soi-même, et si Proust perçoit que sa « tristesse » — la tristesse de Jean Santeuil en tout cas — lui vient de sa petite enfance, il n'en connut guère plus tard « que les causes secondes, car pour la cause première elle lui sembla toujours si inséparable de lui-même qu'il ne put jamais renoncer à sa tristesse qu'en renonçant à soi ».

Sur les origines de son mal-être, on ne peut que conjecturer. Les familiers de la psychanalyse ont naturellement tendance à voir dans la scène du baiser du soir à laquelle l'œuvre de Proust renvoie avec tant d'insistance non pas le souvenir de l'abandon *princeps* mais un souvenir-écran masquant le véritable abandon *princeps* qui lui serait antérieur.

La scène du baiser du soir s'articule en une relation triangulaire : mère/visiteur/enfant, le visiteur jouant le rôle du *terzo incomodo,* de celui dont la présence fait chaque fois obstacle à l'amour. C'est ici le moment de se rappeler qu'un autre visiteur a surgi dans la petite enfance de Proust, un visiteur infiniment plus dérangeant, un visiteur qui ne se bornait pas à passer comme dans *Jean Santeuil* ou la *Recherche,* un *terzo incomodo* installé à demeure et détournant à son profit l'amour maternel : Marcel Proust avait un peu moins de deux ans quand son frère est né. Et la nervosité, les insomnies, l'asthme, l'angoisse, les pleurs, la frilosité, l'irréfragable tristesse auront été, avant *Jean Santeuil* et la *Recherche,* le premier langage inventé par Proust pour retrouver le temps perdu, pour retrouver la mère perdue.

Il est bon de relire dans cette optique la page la plus connue de la *Recherche*. Elle va nous éclairer davantage.

« Un jour d'hiver, comme je rentrais à la maison, ma mère, voyant que j'avais froid, me proposa de me faire prendre, contre mon habitude, un peu de thé. Je refusai d'abord et, je ne sais pourquoi, me ravisai. Elle envoya chercher un de ces gâteaux courts et dodus appelés Petites Madeleines (...) Et bientôt, machinalement, accablé par la morne journée et la perspective d'un triste lendemain, je portai à mes lèvres une cuillerée de thé où j'avais laissé s'amollir un morceau de madeleine. Mais à l'instant même où la gorgée mêlée des miettes du gâteau toucha mon palais, je tressaillis, attentif à ce qui se passait d'extraordinaire en moi. Un plaisir délicieux m'avait envahi, isolé, sans la notion de sa cause. Il m'avait aussitôt rendu les vicissitudes de la vie indifférentes, ses désastres inoffensifs, sa brièveté illusoire, de la même façon qu'opère l'amour, en me remplissant d'une essence précieuse : ou plutôt cette essence n'était pas en moi, elle était moi (...) D'où avait pu me venir cette puissante joie ? Je sentais qu'elle était liée au goût du thé et du gâteau, mais qu'elle le dépassait infiniment, ne devait pas être de même nature. D'où venait-elle ? Que signifiait-elle ? Où l'appréhender ? (...)

» (...) Je recommence à me demander quel pouvait être cet état inconnu, qui n'apportait aucune preuve logique, mais l'évidence, de sa félicité, de sa réalité devant laquelle les autres s'évanouissaient (...) Je fais le vide devant lui, je remets en face de lui la saveur encore récente de cette première gorgée et je sens tressaillir en moi quelque chose qui se déplace, voudrait s'élever, quelque chose qu'on aurait désancré, à une grande profondeur; je ne sais ce que c'est, mais cela monte lentement; j'éprouve la résistance et j'entends la rumeur des distances traversées.

» Certes, ce qui palpite ainsi au fond de moi, ce doit être l'image, le souvenir visuel, qui, lié à cette saveur, tente de la suivre jusqu'à moi. Mais il se débat au loin, trop confusément; à peine si je perçois le reflet neutre où se confond l'insaisissable tourbillon des couleurs remuées (...)

» Arrivera-t-il à la surface de ma claire conscience, ce souvenir, l'instant ancien que l'attraction d'un instant identique est venue de si loin solliciter, émouvoir, soulever tout au fond de moi? (...)

» Et tout d'un coup le souvenir m'est apparu. Ce goût, c'était celui du petit morceau de madeleine que le dimanche matin à Combray (parce que ce jour-là je ne sortais pas avant l'heure de la messe), quand j'allais lui dire bonjour dans sa chambre, ma tante Léonie m'offrait après l'avoir trempé dans son infusion de thé ou de tilleul (...)»

De cette page Proust avait écrit quelques années plus tôt une première version un peu différente qui prenait place dans un projet de préface à *Contre Sainte-Beuve* :

« L'autre soir, étant rentré glacé, par la neige, et ne pouvant me réchauffer, comme je m'étais mis à lire dans ma chambre sous la lampe, ma vieille cuisinière me proposa de me faire une tasse de thé, dont je ne prends jamais. Et le hasard fit qu'elle m'apporta quelques tranches de pain grillé. Je fis tremper le pain grillé dans la tasse de thé, et au moment où je mis le pain grillé dans ma bouche et où j'eus la sensation de son amollissement pénétré d'un goût de thé contre mon palais, je ressentis un trouble, des odeurs de géraniums, d'orangers, une sensation d'extraordinaire lumière, de bonheur; je restai immobile, craignant par un seul mouvement d'arrêter ce qui se passait en moi et que je ne comprenais pas, et m'attachant toujours à ce goût du pain trempé qui semblait produire tant de merveilles quand soudain les cloisons ébranlées de ma mémoire cédèrent, et ce furent les étés que je passais dans la maison de campagne (...) qui firent irruption dans ma conscience, avec leurs matins, entraînant avec eux le défilé, la charge incessante des heures bienheureuses. Alors je me rappelai : tous les jours, quand j'étais habillé, je descendais dans la chambre de mon grand-père qui venait de s'éveiller et prenait son thé. Il y trempait une biscotte et me la donnait à manger. Et quand ces étés furent passés, la sensation de la biscotte ramollie dans le thé fut un des refuges où les heures mortes — mortes pour l'intelligence — allèrent se blottir, et où je ne les aurais sans doute jamais retrouvées, si ce soir d'hiver, rentré glacé par la neige, ma cuisinière ne m'avait proposé ce breuvage auquel la résurrection était liée, en vertu d'un pacte magique que je ne savais pas. »

Si l'on compare les deux versions de cette scène dont on sent bien qu'elle n'a pas été imaginée, mais vécue intensément par Proust, les différences que l'on relève (mère/vieille cuisinière, madeleine/pain grillé, souvenir de la tante Léonie dans la *Recherche,* du grand-père dans *Contre Sainte Beuve*), ces différences s'estompent à côté des convergences, et quand nous disons convergences, nous ne voulons pas parler de la convergence fondamentale qui fait jumelles ces deux pages issues d'une même expérience dont la charge émotionnelle illustrera de manière exemplaire le phénomène de la mémoire involontaire et de la résurrection du temps perdu : nous songeons aux convergences de détail, aux constantes qui font, au-delà des variables, la gémellité des deux récits. Le froid d'abord (*Recherche* : « un jour d'hiver, ma mère, voyant que j'avais froid »; *Contre Sainte-Beuve* :

« l'autre soir, étant rentré glacé, par la neige, et ne pouvant me réchauffer »), car si l'expérience est vécue sur un fond de frilosité, cette frilosité du corps qu'accentue dans la *Recherche* le froid de l'âme (« accablé par la morne journée et la perspective d'un triste lendemain »), ce froid ne paraît pas notation accessoire, mais bien condition nécessaire, indispensable à la résurgence du bonheur oublié — condition nécessaire et non suffisante; il en faut une autre, également présente dans les deux versions : une chaleur revivifiante, et plus précisément une chaleur liquide, pénétrante et offerte. Peu importe le liquide, thé ou tilleul, peu importe ce qui l'accompagne, madeleine, pain grillé ou biscotte, mais il semble importer, pour que la chaleur offerte provoque son plein effet, que le liquide chaud soit inhabituel (*Recherche* : « ma mère (...) me proposa de me faire prendre, *contre mon habitude*, un peu de thé* »; *Contre Sainte-Beuve* : « ma vieille cuisinière me proposa de me faire une tasse de thé, *dont je ne prends jamais* »); il semble importer aussi que le liquide chaud ne soit pas tout à fait liquide, qu'il ait plus de consistance : mêlé de quelques parcelles de madeleine ou de pain grillé, il sera à la fois liquide et solide, non pas seulement chaleur mais chaleur nourrissante — le liquide doit être densifié, densifié comme un lait. Ce n'est pas quitter Proust que de songer à Bachelard, à ce qu'il dit des rêves de l'eau, du pouvoir émotionnel de l'eau nourricière, « toute eau est un lait, plus précisément toute boisson heureuse est un lait maternel ». Et alors, rêvant à notre tour à Proust, adhérant à lui, faisant nôtre son émotion, nous nous disons que ce thé qui apporte la félicité, ce thé métamorphosant qui éloigne le froid, le gris et la détresse pour faire brusquement surgir l'éclat rayonnant du bonheur absolu, ce thé au pouvoir merveilleux qui fait tressaillir « quelque chose qui se déplace, voudrait s'élever, quelque chose qu'on aurait désancré à une grande profondeur », ce thé inhabituel et banal ne peut être qu'un avatar du lait maternel, ce qu'il fait tressaillir, c'est le bonheur du très petit enfant de jadis, le bonheur devenu inaccessible — « les vrais paradis, écrira Proust à la fin de la *Recherche,* sont les paradis qu'on a perdus ».

Les souvenirs retrouvés, morceau de madeleine offert par la tante Léonie chaque dimanche, biscotte offerte par le grand-père chaque matin, ces souvenirs instables, brouillés malgré leur apparente netteté, ces souvenirs apparemment retrouvés qui varient d'un récit à l'autre, sont de vrais et faux souvenirs, ce sont de nouveau des souvenirs-écrans.

Voilà qui nous oblige à modérer notre propos initial, et à nuancer la place de la juiverie dans le destin de Marcel Proust. La juiverie n'a joué qu'un rôle second dans une névrose déjà installée, qui lui était en quelque sorte antérieure. Disgrâce supplémentaire, la juiverie est venue à Proust de surcroît (l'homosexualité aussi : doublement différent, il s'enfermera doublement dans le ghetto de la « race maudite »). Mais à cet être profondément atteint par l'abandon, à cet être voué à l'abandon par l'abandon premier qui avait marqué sa petite enfance, la juiverie aura fourni le moyen d'une rationalisation plus ou moins confuse : le *je ne suis pas digne d'amour* du névrotique se mue en un *je ne suis pas digne d'amour parce que je suis juif* privilégiant la juiverie comme cause originelle de malheur quand bien même n'y avait-elle aucune part.

5

FRILOSITÉ ET PRODIGALITÉ —
L'ARGENT MATERNISÉ —
LE MANQUE D'ARGENT
AVATAR DE LA DISGRÂCE JUIVE

Marcel Proust n'a cessé d'entretenir un étrange rapport avec l'argent. On est tenté de citer à son propos ce qu'écrivait son contemporain Freud d'un autre homosexuel célèbre, « l'homme aux loups » : « l'argent était (...) soustrait chez lui au contrôle conscient et avait pour lui une signification toute différente ».

Sa prodigalité atteint une démesure telle qu'elle inquiète son père qu'inquiète et qu'irrite aussi le perpétuel emmitouflement de son fils couvert de ouate et de pelisses en plein été. Il en résulte des « scènes ». Avant un grand dîner qu'il doit donner à ses amis dans l'appartement familial en présence du professeur Adrien Proust, Marcel met Bibesco en garde contre toute évocation des sujets dangereux : « par surcroît de précaution (...) je lui ai rappelé : « pas de plaisanteries sur les pourboires d'une part — de l'autre pas de questions saugrenues à Papa : " Monsieur, croyez-vous que si Marcel se couvrait moins ˮ », etc.) »

La lecture de la correspondance avec sa mère fait ressortir que tout est confusément lié : l'asthme, l'argent, le froid — la détresse de Marcel Proust est polymorphe.

Quand il est séparé d'elle, il écrit tous les jours à sa mère. Dans ses lettres il lui parle (et elle l'encourage à lui parler) des visites faites ou reçues, de ses lectures, de ses rencontres, des livres qu'il la prie de lui envoyer, mais surtout : de son heure de coucher, de son heure de lever, de ses oppressions, de son sommeil, des médicaments qu'il a dû prendre ou pu éviter (« Je t'embrasse mille et mille fois cher petit attendant impatiemment ce qu'aura été cette nuit et *si tu as pu* rompre tout pacte avec l'impie trional. » Réponse le lendemain : « Non, pas de trional[1] »), de sa digestion, de sa constipation ou de ses selles, du chapeau qu'il doit acheter, de l'épingle de cravate qu'il ne retrouve pas, du parapluie qu'il n'a pas emporté, etc. — des lettres tendres, enjouées, qui restent enfantines quand bien même l'âge de leur auteur se situe entre vingt-cinq et trente ans, des lettres parfois gênantes pour le lecteur qu'elles font pénétrer dans une intimité comme un voyeur.

Dans ces lettres, il est aussi question d'argent. Proust a ici une attitude changeante : tantôt humble, soumis, « raisonnable », mettant en valeur son souci d'économie, appliqué à rendre compte de ses dépenses au centime près (ce qu'apparemment sa mère ne lui demande pas à ce point), tantôt sournoisement revendiquant, s'efforçant de culpabiliser sa mère parce qu'elle le laisse démuni. Dès qu'il parle d'argent il cesse d'être naturel.

Fontainebleau, 21 octobre 1896 : « L'hôtel est

---

1. Somnifère dont Marcel Proust usait assez souvent.

certainement remarquable (...) Tu as vu le prix. Je crois qu'il sera encore grossi par les feux que je suis obligé de me faire et la lampe (...) Je suis étonné que tu ne me parles pas du prix de l'hôtel. Si c'est exorbitant ne ferais-je pas mieux de revenir ? »

Fontainebleau, 22 octobre 1896 : « Je me fais faire du feu toute la journée et j'ai peur de la note. Mais surtout je suis bouleversé à la pensée de ce qui a pu filer hier par ma poche de pantalon percée. »

Le soir même, nouvelle lettre, dans laquelle Marcel Proust revient sur cet argent perdu qui, malgré la modicité de la somme, semble beaucoup le tourmenter : « Je t'écris dans une mélancolie bien grande. D'abord cet argent perdu (et j'en ai le soupçon volé car je me suis rendu compte qu'il n'était pas dans ma poche percée) qui m'avait d'abord ennuyé prend des proportions fantastiques. Ce soir à travers le mal d'estomac, la soirée, etc., cela me poursuit comme un crime, envers vous, je ne sais. Enfin je comprends les gens qui se tuent pour un rien. Plus de trente francs ! Et à ce propos la chose la plus pressée à m'envoyer est de l'argent (envoie-m'en beaucoup trop et je tremble que ce ne soit pas assez) (...) Ce soir courant comme le père Grandet après mon argent, je suis exténué par le remords, harcelé par le scrupule, écrasé par la mélancolie. »

Trois ans plus tard, Marcel Proust est seul dans un hôtel d'Évian, en vacances.

Évian, 13 septembre 1899 : « Maugny est venu dîner hier (...) Je ne suis pas retourné chez les Brancovan pour amortir le dîner de Maugny ce qui est fait et bien au-delà tant les voitures coûtent cher (...) J'irai en Seconde [à Genève] parce que dans ce pays cela me paraît très suffisant. »

Évian, 15 septembre 1899 : « Je n'ose plus bouger, épouvanté de la rapidité avec laquelle l'argent file. Chaque personne qu'on va voir cela coûte de 10 à

20 francs (...) Les Bartholini sont étonnés que étant leur voisin du lac cette année je ne vienne pas plus souvent les voir. Mais en réalité c'est terriblement coûteux (...) Avec la ouate, *l'Union morale,* etc., tout cela file vite[1]. »

Évian, 16 septembre 1899 : « Je n'ai pas bougé hier et n'ai dépensé en tout que 30 centimes d'eau phéniquée. Je ne compte pas bouger aujourd'hui non plus. »

Évian, 17 septembre 1899 : « Ma note pour sept jours est de 153 francs (...) Je devais dîner ce soir chez les Bartholini mais j'ai dépensé tant d'argent les huit premiers jours que je renonce à prendre encore les voitures et que je dînerai simplement ici. Si tu étais près de moi tu me répondrais : Est-ce moi qui t'ai forcé à dépenser tant d'argent. »

Évian, 20 septembre 1899 : « Je n'étais pas ravi ces jours-ci de ma santé mais il y a des sautes de temps et de vent si continuelles que cela suffit il me semble à expliquer une tendance à l'oppression bien infime du reste le matin, et à ne pas énormément dormir (...) Ce qu'il me faudrait, c'est une telle abondance d'ouate que je puisse tous les matins et tous les soirs en mettre de la fraîche pour avoir toujours bien chaud. »

Évian, 24 septembre 1899 : « Envoie-moi des fonds car M. Deferrière doit avoir encore 43 francs à moi et j'ai une note de 167 à payer. »

Évian, 25 ou 26 septembre 1899 : « Comme je dépense beaucoup d'argent en *ouate* peut-être pourrais-tu m'en envoyer un gros paquet. »

Évian, 28 ou 29 septembre 1899 : Marcel Proust vient de recevoir 300 francs que lui a envoyés sa mère. Longue lettre de comptes pour justifier l'usage qu'il

---

1. Quelques jours plus tôt, Marcel Proust a réglé un abonnement à *l'Union pour l'action morale,* dont le montant lui était réclamé par traite.

en a fait (dont 40 francs de pharmacie, ouate, etc.) La fermeture de l'hôtel étant imminente, il demande à sa mère de lui envoyer de l'argent. « Beaucoup trop n'aura aucun inconvénient, n'ayant pas l'intention d'employer à toute force ce qui sera en surplus, tandis que je serais très ennuyé de rester en compte. »

Évian, 29 ou 30 septembre 1898 : « La ouate est venue, merci mille fois. »

Évian, 4 octobre 1899 : réponse aux observations de sa mère sur ses comptes (nous ignorons le contenu de la lettre de Mme Proust). « Permets-moi de te dire que ta manière de compter, pour exacte qu'elle soit, est bien peu instructive pour moi. Quand je paye deux cents francs d'une note antérieure une certaine semaine, cela ne veut pas dire que la semaine où je l'ai payée j'ai dépensé $\frac{200}{7}$ = 28 francs et des centimes de plus par jour (...) La seule *faute* commise a été cette note de 40 francs (...) Depuis ce moment j'achète moi-même la ouate et mets moi-même les dépêches (...) Il est probable qu'il me restera juste de quoi payer ma note et rien pour revenir si je reviens. »

Dans les dépenses de Marcel Proust, les achats de ouate devaient représenter une proportion bien faible. Il est remarquable qu'il en parle si souvent, et qu'il ait tendance à les grossir. Sans doute s'agit-il de dépenses « nobles », irréprochables, puisqu'elles touchent à sa santé. Mais surtout lier l'argent et la ouate, demander de l'argent pour la ouate, c'est transformer directement l'argent en chaleur, c'est materniser l'argent. La demande d'argent est une demande d'amour, une demande d'amour maternel. Et plus la demande d'argent est excessive, plus elle est déraisonnable et susceptible de provoquer des reproches (ce qu'elle fait), plus elle prend le caractère d'une anxieuse mise à l'épreuve du degré de tendresse que lui porte sa mère. Marcel Proust est « dépensier » comme il est asthmatique et frileux : en réaction contre le sentiment de son exclusion.

Pour peu qu'il croie rencontrer chez sa mère la moindre réticence à sa revendication d'amour total, il se rendra physiquement malade, ce qui dans sa fantasmatique signifie tout à la fois et contradictoirement qu'il la punit, qu'il se punit (le manque d'amour, dû à sa propre indignité, le rend malade), et que, malade, il se donne plus de chance de retrouver son amour.

Il croit un jour, à tort ou à raison, que Mme Proust a interdit à la domestique de répondre, passée une certaine heure, aux demandes de son fils. Marcel lui écrit aussitôt avec aigreur : « Je m'expose à la faire renvoyer en lui demandant du feu dans une chambre où Fénelon et Lauris n'ont pu rester malgré leur paletot (...) Je suis affligé (...) de ne pas trouver dans ces heures vraiment désespérées le réconfort moral sur lequel j'aurais cru pouvoir compter de ta part. La vérité c'est que dès que je vais bien, la vie qui me fait aller bien t'exaspérant, tu démolis tout jusqu'à ce que j'aille de nouveau mal. Ce n'est pas la première fois. J'ai pris froid ce soir; si cela se tourne en asthme (...) je ne doute pas que tu seras de nouveau gentille pour moi (...) Mais il est triste de ne pouvoir avoir à la fois affection et santé. »

Autre billet à sa mère, quelques semaines plus tard : « Je ne sais encore si je pourrai dîner dans la salle à manger. Tâche qu'il y fasse bien chaud. Avant-hier il y faisait si froid que j'y ai pris froid, fatigué comme je suis en ce moment. Ne pouvant plus y tenir je suis sorti, tu t'en souviens, malgré le brouillard, pour me réchauffer et j'ai repris l'accès de fièvre dont je souffre en ce moment. »

Autre billet encore : « J'ai *dû* garder une voiture

fermée de 6 h 1/2 à 1 h 1/4 et à l'affolement financier où tout cela me jette, je comprends l'amélioration qui doit s'être introduite dans tes finances à toi depuis que tu.ne payes plus les mois d'été de Roche [Roche était le cocher du coupé fermé qu'utilisait Marcel Proust] (...) Je tremble que ma phrase sur mes sept heures de voiture et sur Roche ne t'ennuie. Et cela me peinerait bien. Je disais plutôt cela pour que tu te rendes un peu compte (...) Voilà cinq fois que je sors avant le dîner et que je n'ai pas de *crise* à proprement parler. Seulement je *paye* cette absence de crise un prix fou. »

Proust a parfaitement mis au point le système de signes qui lui est propre, dans lequel toute carence affective se traduit par la fièvre ou l'asthme, dans lequel toute remarque critique sur ses dépenses est interprétée comme un refus d'amour — et dans lequel, corrélativement, on ne peut être soi-même objet d'amour qu'à la condition de disposer d'argent. Quand il se rêve dans ses premières œuvres de fiction, il ne se rêve pas seulement beau, non-juif et aimé de tous : il se rêve aussi très riche et très généreux. Après qu'il est parvenu à vaincre sa disgrâce, Jean Santeuil connaît l' « orgueil d'être jeune, d'être beau, d'être puissant et d'être riche ». Dans la vie réelle, Marcel Proust était très riche : il appartenait par le côté Proust et surtout par le côté Weil à une famille de possédants, disposant depuis plusieurs générations de capitaux et de revenus élevés, ayant accumulé et continuant d'accumuler des biens par héritages successifs. Lui-même a pu se laisser aller à ses fantaisies dépensières et suivre sa vocation sans avoir jamais à se préoccuper de problèmes d'argent. Le rêve de richesse que révèle *Jean Santeuil* n'est pas exactement du même ordre que le rêve d'anoblissement : juif, Marcel Proust était néanmoins riche. Mais l'argent étant investi de cette tonalité particulière qui en

fait un signe d'amour donné ou reçu, la privation
d'amour « signifie » qu'il est privé d'argent. Dès lors
les titres de Bourse, les rentes, les propriétés de toutes
sortes ne comptent plus : il se voit pauvre, il se rêve
riche.

On n'a pas de mal à retrouver ici le reflet des frus-
trations de jadis — frustration d'amour déjà conver-
tie en plus rassurante frustration d'argent. Dans son
enfance, Jean Santeuil ne recevait « jamais d'argent »;
« il ne pouvait jamais acheter de billes et si on lui en
donnait c'étaient des billes de pierre, d'une seule
couleur, opaques, des billes d'un sou ». Les « billes
d'agate bleues et blondes, les billes d'agate sou-
riantes » lui sont interdites : elles « coûtent une petite
pièce blanche de dix sous chacune ». « Un jour Marie
Kossichef lui en donna une (...) A tous moments il
allait l'embrasser (...) Le soir il la prenait avec lui dans
son lit. » Marie Kossichef est cette compagne de jeux
qu'il aime et dont l'intervention de Mme Santeuil le
séparera brutalement. Dans ce nouveau souvenir d'enfance la « mauvaise mère » reparaît en filigrane :
parcimonieuse de ses baisers, parcimonieuse d'argent,
prohibitrice d'amour. L'épisode de la bille d'agate se
retrouvera dans la *Recherche* : c'est Gilberte « à qui
on donnait beaucoup plus d'argent qu'à moi » qui
offre au narrateur une bille d'agate « souriante et
blonde ».

La possession d'argent sera comme une protection
contre le retour à la détresse du mal-aimé. Toute
bienveillance dont Jean se sent l'objet déclenche en
lui le « démon de la générosité ». Sa tante Desroches lui
dit un soir des « paroles d'amitié », aussitôt, pour
lui envoyer des fleurs, il dépense tout son argent et
même davantage. Aime-t-il d'amour? Il se dépouille
en cadeaux : « chaque fois qu'il (...) envoyait un
cadeau, il était heureux comme s'il avait recueilli

un peu d'amour en échange ». Il en sera de même du narrateur, vendant l'argenterie ancienne qui lui vient de sa tante Léonie pour disposer de plus d'argent et pouvoir offrir d'immenses corbeilles d'orchidées à Mme Swann (« Si j'étais Monsieur votre père je vous ferais donner un conseil judiciaire », lui dit-elle) — ou vendant une grande potiche de vieux Chine, qui lui vient elle aussi de la tante Léonie, pour convertir les dix mille francs qu'on lui en donne en roses et lilas pour Gilberte.

Sans argent à donner, il n'est pas d'amour possible. Amoureux en secret de la duchesse de Guermantes, le narrateur l'imagine ruinée; c'est à cette condition seulement qu'il pourrait l'approcher : « le plus grand bonheur que j'eusse pu demander à Dieu eût été de faire fondre sur elle toutes les calamités, et que ruinée, déconsidérée, dépouillée de tous les privilèges qui me séparaient d'elle, n'ayant plus de maison où habiter ni de gens qui consentissent à la saluer, elle vînt me demander asile ». Amoureux de la lointaine Mlle de Stermaria, il la suppose pauvre, ce qui, pense-t-il, la rend moins inaccessible. Amoureux de « Rachel quand du Seigneur », Saint-Loup emprunte un « argent énorme » pour elle, mais il ne le lui remet qu'au jour le jour, se refusant « mû sans doute par l'instinct de conservation de son amour » à lui « constituer un capital » qui mettrait fin à sa dépendance. Plus tard, Saint-Loup sera lui-même « fort à genoux devant sa femme »; c'est qu'il dépend d'elle : « grâce à la grande fortune de sa femme » il peut disposer des « plus beaux chevaux », du « plus beau yacht », d'un « luxe extrême ». Amoureux de Morel, Charlus refuse les vingt-cinq mille francs qu'il lui demande : il sent que l'argent donnerait à Morel « les moyens de se passer de lui ». Swann érige en règle que « les gens nerveux » devraient aimer « comme disent les gens du peuple " au-dessous d'eux " afin qu'une question

d'intérêt mette la femme qu'ils aiment à leur discré-
tion » − c'est ainsi que lui-même a pratiqué avec
Odette, sans trouver pour autant le bonheur attendu.
De même le narrateur : amoureux d'Albertine qui
vit sous son toit, qui est pauvre, et qu'il comble de
cadeaux, il est condamné au doute perpétuel sur son
amour à elle : « j'étais trop porté à croire que, du
moment que j'aimais, je ne pouvais être aimé et que
l'intérêt seul pouvait attacher à moi une femme ».
L'argent ne suffit pas à gagner un amour heureux.

La prodigalité de Marcel Proust est en rapport
direct avec cette problématique confuse. L'énormité
de ses pourboires est légendaire. Ses cadeaux sont
toujours somptueux. Il sait qu'il est dans ses dépenses
inutilement excessif et qu'il n'en est pas davantage
aimé, mais tout se passe comme si, quoi qu'il sache, il
en attendait de l'amour en échange. Il écrira à son
ami Robert de Billy : « Au fond, j'ai une vie si simple
que si je ne m'étais pas mis sur le pied, quand je
prends une chose de cent francs, de vouloir absolument la payer mille, ce qui me fait mépriser de celui
qui me la vend (...) je pourrais vivre avec six mille
francs par an, tandis que je ne peux pas arriver à ne
pas dépasser soixante mille ».

A défaut d'ouvrir vraiment le droit à l'amour, l'argent ouvre le droit à cette autre forme d'amour qu'est
la considération. Quand le narrateur rêve la ruine de
la duchesse de Guermantes, l'image qui lui vient
n'est pas seulement celle d'une femme privée de
son luxe : dans sa rêverie la duchesse de Guermantes
se métamorphose en femme déconsidérée, qui cesse
d'être saluée. Marcel Proust semble avoir élaboré
dans son fantasme une échelle des valeurs où le
manque d'argent est du même ordre que la disgrâce
juive : l'un et l'autre entraînent une semblable infa-
mie. A l'inverse, une très grande fortune peut, les

circonstances aidant, abolir la juiverie. Saint-Loup prédit que les juives américaines pourront un jour épouser des ducs grâce à leur argent; lui-même a épousé une juive avec la bénédiction de sa famille parce qu'elle lui fournissait l'occasion d'un très riche mariage. Et si, une génération plus tôt, Swann a été admis des années durant chez les Guermantes, si Swann le Juif a pu être reçu au Jockey, ce n'est pas seulement, mais c'est aussi parce qu'il disposait d'une immense fortune.

6

LES FEMMES NOURRICIÈRES
OBJETS PRIVILÉGIÉS —
LA FRANCITÉ COMMUNICATIVE —
LE NARRATEUR BALLOTTÉ
DES ARISTOCRATES AUX HÉBREUX —
« RACHEL QUAND DU SEIGNEUR »
ET LA PAYSANNE DE ROUSSAINVILLE

Le baiser du soir de sa mère était pour Jean Santeuil « la douce offrande de gâteaux que les Grecs
attachaient au cou de l'épouse ou de l'ami défunt en
le couchant dans sa tombe, pour qu'il accomplît
sans terreur le voyage souterrain, traversât rassasié
les royaumes sombres ». Dans la *Recherche* la méta-
phore est christianisée, mais le baiser du soir reste
une nourriture : quand la mère du narrateur se penche
pour l'embrasser, sa figure aimante lui est tendue
« comme une hostie ». C'est une constante chez
Proust : l'amour est vécu comme une offrande nourricière et revivifiante — l'opposé du dépérissement à
quoi se trouve condamné l'exclu.
Les baisers d'Albertine seront semblables à ceux de

la mère de jadis, même s'ils ont moins de chasteté apparente. La même association revient à des centaines de pages d'intervalle : « chaque soir (...) elle glissait dans ma bouche sa langue comme un pain quotidien, comme un aliment nourrissant » (*Recherche,* III, p. 10). « Je sentais, sur mes lèvres qu'elle essayait d'écarter, sa langue, sa langue maternelle, incomestible, nourricière et sainte » (p. 497). Et dans un autre passage destiné à être placé ailleurs : « Si incomparables l'un à l'autre que fussent ces deux baisers de paix, Albertine glissait dans ma bouche, en me faisant don de sa langue, comme un don du Saint-Esprit, me remettait un viatique, me laissait une provision de calme presque aussi doux que ma mère imposant le soir à Combray ses lèvres sur mon front » (p. 1070).

Avant de connaître Albertine, le narrateur avait aperçu du train qui le conduisait à Balbec une jeune paysanne longeant les wagons avec une jarre pour offrir du café au lait à quelques voyageurs réveillés. Brève apparition qui déclenche aussitôt l'exaltation d'une rêverie de bonheur amoureux : « Je ressentis devant elle ce désir de vivre qui renaît en nous chaque fois que nous prenons de nouveau conscience de la beauté et du bonheur (...). La vie m'aurait paru délicieuse si seulement j'avais pu, heure par heure, la passer avec elle, l'accompagner jusqu'au torrent, jusqu'à la vache, jusqu'au train, être toujours à ses côtés, me sentir connu d'elle, ayant ma place dans ses pensées. » Le train s'ébranle. Le narrateur ne reverra plus la jeune fille à la jarre de lait, dont la figure au teint « si doré et si rose » l'a ébloui comme un soleil. Bien des années plus tard, son souvenir lui reviendra « avec une violence de désir inouïe ».

A Balbec les premiers jours, une autre « belle fille » entrevue un instant lui donne la même envie. « C'était une laitière qui vint d'une ferme apporter un supplément de crème à l'hôtel. » Le narrateur est si persuadé qu'elle l'a elle-même regardé avec attention que le lendemain, quand on lui remet une lettre, il ne doute pas qu'elle vienne de la jeune fille. La lettre est de Bergotte. « J'étais affreusement déçu et l'idée qu'il était plus difficile et plus flatteur d'avoir une lettre de Bergotte ne me consolait en rien qu'elle ne fût pas de la laitière. »

C'est encore une « petite crémière », « vraie extravagance blonde », que sur sa demande Françoise amènera un jour chez lui (sans qu'il fasse rien de la fillette, sinon lui donner de l'argent), ce qui lui vaudra d'être convoqué chez le chef de la Sûreté et soupçonné injustement.

Les trois laitières peuvent être détachées de l'ensemble compact des jeunes filles et des jeunes femmes de la *Recherche* également entrevues, désirées et inaccessibles : elles sont représentatives d'une des figures de la thématique proustienne, celle de la femme nourricière objet d'amour privilégié. Les prémisses en étaient dans *Jean Santeuil* : la duchesse de Réveillon se comportait en mère prévenante, préoccupée à tout instant de « faire bien manger » ses « enfants » parmi lesquels Jean avait tout naturellement sa place ; autant qu'un palais sa maison était un foyer chaleureux. Mais la duchesse était aussi une grande dame protectrice. Ici la femme nourricière existe à l'état pur ; elle est désirée en tant que telle, en raison même de sa fonction, comme si le narrateur était attiré par une forme d'amour spécifique, comme s'il existait chez lui, latente, une demande confondue d'amour et de nourriture, une demande d'amour nourrissant que le baiser du soir exprimait déjà, et que l'emblématique tablier des laitières et des crémières suffirait à réveiller — étrange faim d'une étrange nourriture.

Une autre jeune fille n'est ni laitière ni crémière :

elle appartient à l'aristocratie, mais son apparition fait naître un même désir immédiat et durable, et surtout une rêverie riche d'images qui vont nous éclairer.

Le narrateur vient d'arriver à Balbec avec sa grand-mère. Intimidé par le personnel de l'hôtel, ignorant tout de « la vie de bains de mer », toisé par les « habitués », il se sent aussitôt mal à l'aise, étranger dans le palace hostile. A l'heure du déjeuner, « le directeur, comme nous étions nouveaux venus, nous conduisit sous sa protection [dans la salle à manger] comme un gradé qui mène des bleus chez le caporal tailleur pour les faire habiller ». Il leur désigne une table. « A peine commencions-nous à déjeuner qu'on vint nous faire lever. » La table était celle de M. et Mlle de Stermaria, supposés absents ce jour-là. « Sans le moindre geste d'excuse à notre adresse », M. de Stermaria « pria à haute voix le maître d'hôtel de veiller à ce qu'une pareille erreur ne se renouvelât pas, car il lui était désagréable que " des gens qu'il ne connaissait pas " eussent pris sa table ». D'aucune des personnes de l'hôtel « le mépris ne m'était aussi pénible que celui de M. de Stermaria. Car j'avais remarqué sa fille dès son entrée, son joli visage pâle et presque bleuté, ce qu'il y avait de particulier dans le port de sa haute taille, dans sa démarche, et qui m'évoquait avec raison son hérédité, son éducation aristocratique, et d'autant plus clairement que je savais son nom ». Des «distances sociales infinies » les séparent.

Deux « côtés » se trouvent de nouveau tracés comme dans l'épisode de Mme Marmet, mais à la différence de Jean Santeuil le narrateur reste ici le proscrit qu'on ne salue pas. Attiré par Mlle de Stermaria, il est par rapport à elle dans une situation comparable à celle des Juifs, nombreux à Balbec où ils forment « un cortège homogène en soi et entièrement dissemblable des gens qui les regardaient passer et les retrouvaient

là tous les ans sans jamais échanger un salut avec
eux ».

Le temps passe. Devenu l'ami de Saint-Loup, le
narrateur s'est ouvert à lui du désir qu'il a eu jadis de
Mlle de Stermaria. Saint-Loup se montre aussi efficace que la duchesse de Réveillon: médiateur bien-
veillant et tout-puissant, il lui arrange un rendez-vous
qui ne doit pas être une simple rencontre mondaine.
« Je lisais entre les lignes ce qu'il n'avait pas osé écrire
explicitement : " Tu peux très bien l'inviter en cabi-
net particulier ", me disait-il (...) J'en pouvais croire
la lettre de Saint-Loup. Mme de Stermaria se donnerait dès le premier soir [1] (...) Robert n'exagérait jamais
et sa lettre était claire. »

De tous les lieux où il était possible de dîner avec
elle, le narrateur a choisi un restaurant situé « dans
l'île du Bois de Boulogne ». Il sait que ce choix n'est
pas dû au hasard. Il sent que son premier rendez-vous
d'amour avec la jeune femme ne pourrait être vécu
dans sa plénitude si l'endroit était autrement situé.
« Posséder Mme de Stermaria dans l'île du Bois de
Boulogne où je l'avais invitée à dîner, tel était le plaisir que j'imaginais à toute minute. Il eût été naturellement détruit, si j'avais dîné dans cette île sans
Mme de Stermaria; mais peut-être aussi fort diminué
en dînant même avec elle ailleurs. » La rêverie amou-
reuse liée à Mme de Stermaria se charge d'une tonalité aquatique qui s'impose avec une remarquable
constance. La première rêverie déclenchée par la
rencontre de Balbec avait déjà pris ce tour : le narrateur rêvait de la voir seule « dans son château romanesque » de Bretagne; ignorant tout du lieu de son
château il imaginait, arbitrairement, sans soupçonner
son arbitraire, que ce château ne pouvait être que dans

---

1. Depuis Balbec, Mlle de Stermaria s'était mariée, avait divorcé
trois mois plus tard; elle était devenue Mme de Stermaria.

une île, il rêvait de la posséder dans son « île bretonne », « peut-être aurions-nous pu nous promener seuls le soir tous deux dans le crépuscule où luiraient plus doucement au-dessus de l'eau assombrie les fleurs roses des bruyères, sous les chênes battus par le clapotement des vagues ». La rêverie d'amour dérive en rêverie de l'eau, en une rêverie d'eau sereine et douce d'où sont bannis malgré la géographie les grondements des vents et des tempêtes. La présence de l'eau paraît un élément non pas contingent mais nécessaire, inséparable de l'attirance provoquée par l'aristocratique jeune femme, consubstantiel à sa nature même. Attendant Mme de Stermaria avant de dîner avec elle, entouré d'eau, dans l'île du Bois de Boulogne, le narrateur se dit encore : « Le brouillard (...) ferait pour moi de l'île des Cygnes un peu l'île de Bretagne dont l'atmosphère maritime et brumeuse avait toujours entouré pour moi comme un vêtement la pâle silhouette de Mme de Stermaria. » On connaît la sensibilité de Proust aux « noms de noms ». Le nom qu'il a choisi, ce nom de Stermaria, est lui-même évocateur d'eaux et de mers : à la Raspelière, chez les Verdurin, Brichot apprendra au narrateur que « Ster » en breton signifie « eau ».

Il est permis d'adhérer à la rêverie de Proust, de s'essayer à la poursuivre, jusqu'à imaginer le narrateur rêvant de recevoir de Mme de Stermaria porteuse de tant d'eau apaisante, plus que les ordinaires plaisirs de l'amour : un ondoiement purificateur qui le ferait entrer dans une communion dont il est écarté — rêvant de recevoir d'elle, par osmose, un peu de sa francité. La suite du récit va s'y trouver accordée.

Le narrateur a envoyé une voiture à Mme de Stermaria. Il l'attend. Un coup de sonnette retentit. « Je courus ouvrir la porte de l'antichambre au cocher qui me rapportait la réponse. Je pensais que ce serait : " Cette dame est en bas ", ou " Cette dame vous attend ". Mais il tenait à la main une lettre. » Mme de Stermaria annonce qu'elle ne pourra pas venir. « Je restai immobile, étourdi par le choc que j'avais reçu. » Le narrateur se laisse aller à son désespoir, et Marcel Proust laissant lui-même aller sa plume lui donne la forme rituelle du désespoir juif, comme si par sa défection la jeune femme lui signifiait son enfoncement dans la juiverie. « J'avisai un énorme paquet de tapis encore tout enroulés (...) et m'y cachant la tête, avalant leur poussière et mes larmes, pareil aux Juifs qui se couvraient la tête de cendres dans le deuil, je me mis à sangloter. »

L'identification aux Juifs ne garde pas un caractère passager. Marcel Proust va « enjuiver » les pages suivantes avec une cohérence qui ne peut être que le reflet d'une angoisse profondément ressentie.

Investie d'un rôle de sauveur, Mme de Stermaria s'est dérobée. Pendant que le narrateur, pauvre Juif, continue de sangloter, un autre sauveur surgit, tout chargé lui aussi de francité oblative : Saint-Loup. « Ce fut comme une arrivée de bonté, de gaîté, de vie (...) Il ne comprit pas lui-même mon cri de reconnaissance et mes larmes d'attendrissement. » Mais la hantise de la juiverie reste obsédante : au Juif mythique qui se couvre la tête de cendres succèdent des Juifs bien réels, qui vont essayer de le happer, de le faire basculer vers eux, de le fondre en eux. Saint-Loup l'en arrachera. Il se substituera à Mme de Stermaria pour lui apporter le salut.

Saint-Loup et le narrateur partent ensemble dans un fiacre, au milieu d'un brouillard si dense qu'il en est inquiétant. « Mais déjà la voiture s'était arrêtée devant le restaurant dont la vaste façade vitrée et flamboyante arrivait seule à percer l'obscurité. Le brouillard lui-même (...) s'irisait des nuances les plus délicates et montrait l'entrée comme la colonne lumineuse qui guida les Hébreux. Il y en avait d'ailleurs beaucoup dans la clientèle. Car c'était dans ce restaurant que Bloch et ses amis étaient venus long-temps (...) se retrouver le soir (...) La petite coterie qui se retrouvait pour tâcher de perpétuer, d'appro-fondir les émotions fugitives du procès Zola (...) y était mal vue des jeunes nobles qui formaient l'autre partie de la clientèle et avaient adopté une seconde salle du café, séparée seulement de l'autre par un léger parapet décoré de verdure (...) Le malheur pour moi voulut que Saint-Loup étant resté quelques minutes à s'adresser au cocher (...) il me fallut entrer seul. »

Seul : c'est-à-dire provisoirement abandonné par la francité protectrice.

« Une fois engagé dans la porte tournante dont je n'avais pas l'habitude, je crus que je ne pourrais pas arriver à en sortir (...) Le patron (...) restait (...) près de l'entrée (...) La rieuse cordialité de son accueil fut dissipée par la vue d'un inconnu qui ne savait pas se dégager des volants de verre. Cette marque flagrante d'ignorance lui fit froncer le sourcil (...) Pour comble de malchance j'allai m'asseoir dans la salle réservée à l'aristocratie d'où il vint rudement me tirer en m'in-diquant, avec une grossièreté à laquelle se confor-mèrent immédiatement tous les garçons, une place dans l'autre salle. Elle me plut d'autant moins que la banquette où elle se trouvait était déjà pleine de monde et que j'avais en face de moi la porte réservée aux Hébreux qui, non tournante celle-là, s'ouvrant et se fermant à chaque instant, m'envoyait un froid horrible. »

Le narrateur est de nouveau exclu, condamné à la solitude et au froid du ghetto — du ghetto véritable à quoi sont destinés les Juifs, car si léger que soit le « parapet décoré de verdure » qui sépare les deux côtés du restaurant, il n'en marque pas moins une lourde et infranchissable barrière.

Mais Saint-Loup revient, et il fera lever la barrière avec éclat. Nous allons assister à la répétition du triomphe de Jean Santeuil à l'Opéra après l'humiliation Marmet. « Tout à coup, je vis le patron s'infléchir en courbettes, les maîtres d'hôtel accourir au grand complet, ce qui fit tourner les yeux à tous les clients. " Vite (...) une table pour M. le marquis de Saint-Loup " s'écriait le patron (...) Les clients de la grande salle [les Hébreux] regardaient avec curiosité, ceux de la petite hélaient à qui mieux mieux leur ami (...) Mais au moment où il allait pénétrer dans la petite salle, il m'aperçut dans la grande. " Bon dieu, criat-il, qu'est-ce que tu fais là, et avec la porte ouverte devant toi ", dit-il, non sans jeter un regard furieux au patron. » Etc. Tout le monde s'empresse. Le narrateur est doublement gracié — gracié de la juiverie à laquelle on l'avait condamné, gratifié par Saint-Loup, partageant désormais sa grâce.

Pour que son apothéose soit égale à celle de Jean Santeuil, il lui faudrait l'hommage d'un roi. Un prince y pourvoira : le prince de Foix, dont le narrateur avait remarqué la morgue quand, relégué au milieu des Hébreux, il l'avait vu se montrer insolent avec un avocat israélite : « il faisait partie d'un groupe aristocratique pour qui l'exercice de l'impertinence, même à l'égard de la noblesse quand elle n'était pas de tout premier rang, semblait être la seule occupation », et qui réservait « leur poignée de main et leur salut aux ducs et aux amis tout à fait intimes des ducs que ceux-ci leur présentaient ». Le prince de Foix se fait humble avec Saint-Loup et le narrateur : il sollicite l'autorisation de venir dîner à leur table. « " C'est à toi de décider " me dit Saint-Loup ». « J'aurais autant aimé que nous fussions seuls. » La réponse est transmise. « Le prince s'éloigna en ajoutant au salut d'adieu qu'il me fit un sourire qui montrait Saint-Loup et semblait s'excuser sur la volonté

de celui-ci de la brièveté d'une présentation qu'il
eût souhaitée plus longue. » Le proscrit se trouve
métamorphosé en proscripteur. Saint-Loup complétera sa revanche en lui apportant une consécration
théâtrale : il disparaît un instant, revient, « tenant à
la main le grand manteau de vigogne du prince à
qui je compris qu'il venait de le demander pour me
tenir chaud ». C'est alors que, pour éviter au narrateur d'avoir, si peu que ce soit, à bouger, il se livre
à l'émerveillement de tous, dîneurs et garçons, au
fameux exercice de voltige sur les banquettes déjà
esquissé dans *Jean Santeuil* et préalablement vécu par
Marcel Proust lui-même, où se déploie toute la sou-
plesse et toute la beauté d'un corps façonné par des
siècles d'éducation aristocratique. « Arrivé à ma hauteur, il arrêta net son élan avec la précision d'un chef
devant la tribune d'un souverain, et, s'inclinant, me
tendit avec un air de courtoisie et de soumission le
manteau de vigogne, qu'aussitôt après, s'étant assis
à côté de moi, sans que j'eusse eu un mouvement à
faire, il arrangea, en châle léger et chaud, sur mes
épaules. » Plus que l'hommage d'un féal, c'est la
délicate prévenance d'une mère attentive qui prévaut
dans le geste de Saint-Loup. Avant d'être de vigogne
et princier, le manteau est douceur, réconfort, chaleur maternante.

Depuis le début de leur amitié, Saint-Loup a toujours choyé le narrateur. Il l'aime comme Marcel
Proust aimait qu'on l'aimât. A Balbec, Saint-Loup
savait « prévenir mes moindres malaises », « remettre
des couvertures sur mes jambes si le temps fraîchissait
sans que je m'en fusse aperçu », « s'arranger sans le
dire à rester le soir avec moi plus tard s'il me sentait
triste ou mal disposé ». A Doncières où il est en gar-
nison et où le narrateur vient lui rendre visite, il a
deviné sa crainte de passer sa première nuit dans une

chambre inconnue et hostile; il a combiné de lui offrir sa propre chambre, chaude et hospitalière, où il pourra dormir « avec bonheur et calme ». Le lendemain matin, l'ami maternel est retenu au dehors par son service, mais il continue de le gâter à distance, et au réveil le narrateur baignera dans « la bonne impression de chaleur » que lui donne « le chocolat préparé par l'ordonnance de Saint-Loup ». La présence de Saint-Loup suffit à le délivrer de ses angoisses, comme autrefois la vraie mère : « Certains jours (...) j'étais sans force contre ma tristesse (...) J'envoyais quelqu'un au quartier, avec un mot pour Saint-Loup : je lui disais que si cela lui était matériellement possible — je savais que c'était très difficile — il fût assez bon pour passer un instant. Au bout d'une heure il arrivait; et en entendant son coup de sonnette je me sentais délivré de mes préoccupations. Je savais que si elles étaient plus fortes que moi, il était plus fort qu'elles. » La scène du baiser du soir se trouve répétée et inversée : le tintement qui annonçait l'arrivée du tiers importun et le déclenchement de l'angoisse est devenu signe de délivrance et d'apaisement.

Saint-Loup peut prendre place dans la galerie des êtres aimés d'amour, bien qu'ici composante homosexuelle et composante juive s'intriquent. Ce jeune aristocrate si plein de grâce, de blondeur et de bienveillance a aussi le privilège de pouvoir faire bénéficier ceux qu'il aime d'un transfert de sa substance de « pur Français ». Saint-Loup accomplit ce que le narrateur attendait confusément de Mme de Stermaria.

Parmi toutes les femmes que le narrateur entrevoit, une est disponible par définition, « Rachel quand du Seigneur » : elle est l'une des filles de la maison de passe dont il est l'habitué. « Chaque fois je promettais à la patronne, qui me la proposait avec une insistance particulière en vantant sa grande intelligence et son instruction, que je ne manquerais pas un jour de venir tout exprès faire sa connaissance. » En fait il ne la désire pas vraiment. Il se décide quand même à venir une fois pour elle — mais Rachel est « sous presse ». Il récidive — mais, de nouveau, elle est avec un autre. « Je me lassai d'attendre. » « Rachel quand du Seigneur » est brune, des « cheveux noirs et frisés » entourent son « mince et étroit visage ». Elle est surtout juive, et il le sait. Il eût été dissonant que la souveraineté de Marcel Proust dans le roman s'exerçât à la rendre libre les jours de visite du narrateur : elle était trop semblable à lui, trop brune et trop peu « française » pour qu'il puisse l'aimer. (Quand elle devient la maîtresse de Saint-Loup, la composante juive de Proust tendrait cette fois à s'effacer devant la composante homosexuelle : dans ses amours avec Saint-Loup, sans doute est-ce lui-même que Rachel représente par procuration.)

La femme le plus intensément désirée aura été la première, celle que le narrateur s'attend à voir surgir quand il se promène seul dans les bois de Roussainville, du côté de Méséglise, et qu'il s'exalte de la beauté de la campagne française. Elle ne peut être que paysanne, elle ne peut que faire corps avec cette beauté, émaner d'elle : « La passante qu'appelait mon désir me semblait être non un exemplaire quelconque de ce type général : la femme, mais un produit nécessaire et naturel de ce sol (...) La terre et les êtres, je ne les séparais pas. » Grâce à cette jeune paysanne, il doit « approcher de plus près (...) la saveur profonde du pays ». C'est du côté de Méséglise, sur ce même sol et dans ce même pays, qu'il s'est déjà exalté d'une autre beauté, une beauté de pierre cette fois, celle de Saint-André-des-Champs, mais une beauté également française — « que cette église était française! ». Et dans la pierre même, ce sont les paysans et paysannes d'aujourd'hui, inchangés depuis des siècles, qu'il a reconnus, sculptés dans le porche, transformés en Vierge, en anges et en saints. « Une sainte avait les joues pleines, le sein ferme et qui gonflait la draperie (...), le front étroit, le nez court et mutin, les prunelles enfoncées, l'air valide, insensible et courageux des paysannes de la contrée. Cette ressemblance (...) était souvent certifiée par quelque fille des champs (...) dont la présence (...) semblait destinée à permettre, par une confrontation avec la nature, de juger de la vérité de l'œuvre d'art. » Telle devait être la paysanne qu'il désirait aimer dans les bois de Roussainville, et qui révèle la loi intime de ses choix amoureux. Regardez Albertine, regardez-le en train de regarder Albertine : quand elle était sur le côté, « il y avait (...) un certain aspect de sa figure (si bonne et si belle de face) que je ne pouvais souffrir, crochu comme en certaines caricatures de Léonard, semblant révéler la méchanceté, l'âpreté au gain, la fourberie d'une espionne, dont la présence chez moi m'eût fait horreur ». Mais Albertine, si près de ressembler ici à « Rachel quand du Seigneur », est « française », ce qui suffit à la faire rayonner de beauté : elle est « une des incarnations de la petite paysanne française dont le modèle est en pierre à Saint-André-des-Champs », et, ajoute le narrateur, « c'était peut-être (...) une des raisons qui m'avaient fait à mon insu la désirer ». On retrouve sa conception de l'amour *« cosa mentale »,* comme disait Léonard de la peinture. Ce qu'il aime en Albertine, ce qu'il aime dans toutes les femmes qui l'attirent, paysannes, bourgeoises ou aristocrates, c'est moins Albertine ou ces femmes, que l'idée mythique qu'il se fait d'elles. C'est de leur francité qu'il est amoureux.

7

VALETS-BOURREAUX — EXCLU PERPÉTUEL —
LA MAUVAISE MÈRE SANS ANAGRAMME

Composante homosexuelle et composante juive reparaissent dès que les domestiques entrent en scène. Non pas les domestiques familiers, bienveillants et aimés malgré leurs caprices, comme Françoise, que le narrateur a intégrés dans son univers quotidien — les autres, inconnus et changeants, qui tourbillonnent autour des salons ou en gardent l'accès.

Ils s'ordonnent eux aussi en deux côtés. A un pôle, le monde coloré et heureux des grooms, lifts, valets de pied, courriers, chasseurs, garçons de toutes sortes, bondissant à un signe, accourant, attentifs aux pourboires, toujours disponibles, que regardent évoluer avec gourmandise, à défaut du narrateur, tant de personnages de la *Recherche*. De l'autre côté tout change, tout se glace avec les grands valets vêtus de noir qui montent la garde. Et autant Proust oblige le narrateur à la réserve avec les petits valets chatoyants qui ne reçoivent de lui, outre les inévitables pourboires, qu'un regard curieux mais détaché, autant il ne cache rien de l'épouvante où le jettent les grands valets bourreaux.

Le voici, ayant reçu une invitation de la princesse de Guermantes, mais redoutant « d'être le jouet d'une mauvaise farce machinée par quelqu'un qui eût voulu me faire jeter à la porte d'une demeure où j'irais sans être invité » : il arrive chez la Princesse anxieux de l'accueil qu'on lui fera ; il se heurte à « cet huissier habillé de noir comme un bourreau », chargé d'annoncer les invités, qu'entoure « une troupe de valets aux livrées plus riantes, solides gaillards prêts à s'emparer d'un intrus et à le mettre à la porte ». Le narrateur s'avance. « L'huissier me demanda mon nom, je le lui dis aussi machinalement que le condamné à mort se laisse attacher au billot. » L'exécution n'aura pas lieu : la Princesse vient lui tendre la main en souriant.

Quand Swann se rend à la soirée donnée par la marquise de Saint-Euverte, un valet s'avance vers lui « d'un air implacable », il a un « regard d'acier », il est d'un « aspect particulièrement féroce et assez semblable à l'exécuteur de certains tableaux de la Renaissance qui figurent des supplices » — mais Swann étant naturellement agréé, il vient seulement lui prendre son chapeau.

A l'inverse, quand le narrateur va rôder du côté de l'hôtel de Swann avant qu'il y soit admis, le concierge « avait l'air de savoir que j'étais de ceux à qui une indignité originelle interdirait toujours de pénétrer dans la vie mystérieuse qu'il était chargé de garder ». Au Grand-Hôtel de Balbec où il se sent un intrus, il est persuadé que les « chefs de réception » lui jettent un regard annonciateur de mort : « le regard de Minos, Eaque et Rhadamante ».

Jean Santeuil frissonne en entrant dans un salon supposé hostile, véritable marche à l'enfer dont l'antichambre forme le premier cercle : la physionomie des domestiques, reflet grossier de l'attitude des maîtres, est l'annonciatrice du sort qui attend le proscrit. Car la victoire sur l'exclusion reste constamment frappée de précarité, et il faut craindre à chaque instant d'être jeté dehors.

On le voit bien le lendemain du triomphe de Jean à l'Opéra. Jean est retourné chez Mme Marmet. On le réclame. On se presse pour lui être présenté. Les femmes lui tendent « leur sourire et leur main », il serre les mains « des vieux messieurs, des officiers, des hommes de lettres ». Il a cessé d'être le quatorzième : Mme Marmet voit en lui son « plus beau jeune premier », son « premier sujet », son « enfant gâté ». « Il accepta une glace, prit une partie de cartes et bientôt joua dans le boudoir avec M. Saylor à qui on venait de le présenter (...) Et tout en jouant, Jean écoutait en souriant le joli air de *Don Juan,* accompagné, quand le mouvement se pressait, d'un murmure unanime et léger des auditrices charmées, comme si une brise soufflant tout à coup avait tourné les pages et fait palpiter les éventails. »

Le décor est planté, paisible et heureux. C'est là que l'inattendu et inévitable destin va frapper comme dans une tragédie grecque. Et aussitôt, l'écriture de Proust se rétracte, il doit laisser des mots en blanc dans son manuscrit, comme s'il avait du mal à imaginer la scène, ou comme si la scène que la pente de son imagination l'oblige à imaginer lui faisait mal et qu'il en bégayât d'émotion. « Tout d'un coup M. Saylor se leva et dit avec une figure incertaine et comme illisible, avec une familiarité blessante : " Cela suffit, monsieur. — Monsieur ", dit Jean stupéfait se levant aussi. A ce moment Jean entendit plus distinctement la phrase qui [1] " Bon, bon, monsieur, dit M. Saylor se démasquant tout à coup, vous ne jouerez

1. La phrase de Marcel Proust reste ici en suspens (note de M. Pierre Clarac).

plus avec moi. Vous êtes un tricheur, monsieur.
— Misérable ", s'écria Jean en sautant sur lui et lui
envoya   [1]. Mais plus grand et plus fort
M. Saylor lui prit les deux mains et les maintenant
violemment : " Du calme, monsieur, du calme, tout
ceci ne servirait à rien. J'aurai la générosité, si vous
m'envoyez des témoins, de me battre avec vous, quoiqu'on ne se batte pas en général avec des gens de
votre espèce. " Et il entra dans le salon. »

Quelques instants ont suffi pour que Jean au faîte
de la gloire soit précipité dans la vilenie. Saylor est
l'exact négatif du roi de Portugal, aussi efficace dans
l'ignominie que le roi l'était dans sa noblesse. Ce
qui ajoute au drame et le rend irréparable, c'est l'im-
puissance : Jean s'élance à la suite de son calomnia-
teur, « mais aussitôt il pensa que les cinq cents personnes assises là seraient au courant de ce qui venait
de se passer et, par bêtise, jalousie, malveillance,
tendance à croire à l'extraordinaire, sans ajouter
entièrement foi aux imputations de Saylor, garde-
raient toujours un doute sur l'honorabilité de Jean ».
L'homme calomnié retrouve la situation du Juif,
et Saylor prend figure d'avatar de la mauvaise mère :
quoi que fasse Jean, la tache qu'il lui laissera est aussi
indélébile que la juiverie elle-même. Jean aura beau
se battre en duel avec Saylor, son honneur n'en sera
pas lavé, il reste condamné à la proscription. « J'ai
vu au salut de M. X, de Mme Z, qu'ils savent; je n'ai
pas été invité chez les ***, Saylor a dû leur raconter
cela à sa manière. »

Marcel Proust réécrit la scène. Il n'est plus question dans la nouvelle version de Saylor, ni de tricherie au jeu, mais rien n'est changé dans la trame : Jean
est humilié sans que l'origine de l'humiliation soit
clairement dite, et comme la première fois il est

---

1. En blanc dans le manuscrit *(id.)*

devenu un être dont on se détourne. L'idée d'affronter le monde lui est « un supplice où il devinait déjà pour le torturer les mains qui se retiraient à son approche, les yeux qui s'éteignaient ou s'animaient avec affectation pour autre chose, les dos qui se tournaient, les chuchotements plus effrayants que le sifflement d'un serpent voisin, le rire des gens qui le regardaient plus diabolique que le rire des démons qu'on entend parfois en rêve et dont on suffoque encore sans oser ouvrir les yeux une demi-heure après s'être réveillé, enfin la figuration hideuse de cette sorte d'excommunication morale cent fois plus terrible que l'autre ». Il va jusqu'à subir « l'affront des domestiques ». Proust réécrit de nouveau la scène qui le met si manifestement mal à l'aise. Les mêmes images lui reviennent, insupportables et nécessaires. Cette fois M. Marmet reparaît. Il est le premier humiliateur de Jean. « Jean entra (...) La première personne qu'il rencontra fut M. Marmet (...) Jean le salua. Mais M. Marmet remua à peine la tête, les yeux sévères, sans lui tendre la main. » Méprisé par M. Marmet, Jean est tombé plus bas encore que Schlechtemburg.

Dans la deuxième version, Jean doit son salut au duc de Réveillon qui le revendique pour fils avec éclat : « Je vous aime trop pour ne pas agir avec vous comme avec ma chère femme ou mon fils », lui écrit le duc dans une carte qu'il laisse volontairement ouverte pour qu'elle soit lue par les domestiques. Geste extraordinaire, qui suffit à mettre fin au cauchemar. Dans la version suivante, c'est la duchesse qui le venge. Présentant Jean au duc de Lithuanie immédiatement après l'affront Marmet, elle lui dit : « Je crois que Votre Altesse ne connaît pas M. Santeuil. C'est mon second fils, monseigneur. Vous l'aimerez, car tous ceux qui m'aiment savent qu'il faut l'aimer. » Paroles magiques qui, là encore, suffisent à dissiper le cauchemar.

La scène de l'Opéra se trouve ainsi de nouveau répétée. Autant que la scène elle-même sa répétition doit retenir l'attention. Si Jean doit être encore réhabilité, si l'éclatant parrainage d'un roi n'a pas suffi à le laver de toute indignité c'est qu'il ne cesse pas d'être indigne. Il est bien dans la situation du Juif : de toutes les flétrissures, la juiverie est la seule qui soit imprescriptible. Le Juif est un Sisyphe qui ne cesse de retomber dans la juiverie; ses appuis les plus sûrs finissent toujours par se dérober.

Ainsi Saint-Loup : s'il sait choyer avec amour, il lui arrive des accès de dureté qui vont jusqu'à la fourberie. Malgré toutes ses prévenances de Doncières le narrateur perçoit chez lui une « arrière-pensée », puis un mensonge et une dérobade dont il lui gardera rancune. Une autre fois, Saint-Loup est bien près de se ranger dans le camp des proscripteurs : nouveau Marmet, il ne répond pas, ou il répond à peine, au salut de son ami. Si sensible aux signes de l'exclusion, le narrateur en aurait une peine telle qu'il se refuse à y croire. Et pourtant, il l'apprendra plus tard, Saint-Loup l'avait bien reconnu. Il en est moins désespéré qu'amer : « J'avais déjà remarqué à Balbec que (...) son corps avait été admirablement dressé par l'éducation à un certain nombre de dissimulations de bienséance et que, comme un parfait comédien, il pouvait (...) jouer l'un après l'autre des rôles différents. Dans l'un de ces rôles il m'aimait profondément (...) mais pendant un instant il avait été un autre personnage qui ne me connaissait pas. » Et jusque dans le fiacre qui les conduit au restaurant, dans l'heure même qui précède l'offrande du manteau de vigogne, le narrateur « stupéfait » aura la révélation que Saint-Loup est capable de trahir son amitié; répétant la vraie

mère, il s'évanouit en tant que figure maternelle.
Le transfert de sa francité ne pourra être que provi-
soire ; il sera toujours révocable.

Quand Jean Santeuil connaît l'humiliation qui l'atteint le plus, l'affront des domestiques, il la cache à
sa mère. Plusieurs raisons sont avancées, qui vont des
plus nobles aux moins avouables : « pitié parce que
sa mère l'aimant devait plus en souffrir »; désir de
Jean de ménager son propre orgueil : « devant sans
doute se retrouver dans cet état de lutte qui caracté-
rise parfois la vie domestique, il ne voulait pas avoir
trop à rougir devant elle ». Proust va enfin beaucoup
plus loin : « peut-être allait-il jusqu'à penser qu'elle
n'aurait pas une occasion de triompher, en songeant
au passé, dans leurs batailles futures, qu'il lui donnerait par là des armes. Horrible sentiment, que
Mme Santeuil n'eût jamais ressenti. Mais elle méritait
sans doute que son fils le lui attribuât même confusément. Il fallait pour cela que dans le fond de son
passé et de son oubli, qui sait peut-être dans de
récentes alluvions de sa mémoire, saignât encore
quelque plaie qu'elle lui aurait faite pour le faire
rougir (...) *Car parfois la haine serpente au milieu du
plus immense amour où elle semble comme perdue*[1]. »
La mauvaise mère n'a plus d'anagramme. Elle a
dépouillé l'habillage de Mme Marmet : elle apparaît
ici presque sans détours, allant jusqu'à susciter au
milieu des dénégations et des précautions de langage
le surgissement du mot « haine » que viennent ren-
forcer les images d'affrontement et de guerre.
Il n'y aura rien de tel dans la *Recherche*. Au cours
des dix ans qui ont séparé la fin de *Jean Santeuil* des
débuts de la *Recherche,* un élément nouveau est
intervenu : la mort de Mme Proust.

---

1. Souligné par moi.

Lucien Daudet a rapporté un souvenir d'adolescence : « Un jour je lui racontais qu'un camarade de collège, trouvant sa mère mal habillée, faisait croire (bien inutilement) quand on l'appelait au parloir, que c'était une femme de charge; Marcel Proust se cacha la figure dans les mains et je crus qu'il riait : il avait de grosses larmes au bord des yeux. » Ces larmes étaient, à n'en pas douter, des larmes de coupable.

La mort de Mme Proust n'abolit pas la juiverie. Elle abolit le ressentiment. La névrose demeure. Elle aurait pu être une névrose errante, comme celle de Baudelaire, frère de souffrance de Marcel Proust, qui eut autant à souffrir de « crimes maternels [1] ». Elle s'est fixée sur la juiverie. La juiverie a fourni un point d'ancrage à la névrose.

1. Cf. les vers de Baudelaire

Elle-même prépare au fond de la Géhenne
Les bûchers consacrés aux crimes maternels

cités par Proust dans *Contre Sainte-Beuve*.

II

LA JUIVERIE ANOBLIE

Le lieutenant-colonel Picquart

8

UN FRÈRE DE RACE — UN JUIF CHOISIT-IL LOGIQUEMENT SON DREYFUSISME ? — SPONTANÉITÉ RETENUE

Le rapport de Marcel Proust à l'affaire Dreyfus se situe à trois niveaux distincts. Il a vécu « l'affaire ». En même temps ou ensuite il s'en est fait l'écho dans ses livres, dans *Jean Santeuil* d'abord, puis, différemment, dans la *Recherche*.

Jean est dreyfusard — avec une passion qui le conduit au cœur du « syndicat ». Quelques années plus tard, le narrateur se forcera à la neutralité, ou plutôt il aura tendance à fuir le débat, comme s'il y était étranger ou comme s'il en avait peur. Il est un jour chez les Guermantes; une discussion anodine vient de dévier sur l'affaire, et le duc, aussitôt s'est mis à tonner : « Les Juifs n'admettront jamais qu'un de leurs concitoyens soit traître, bien qu'ils le sachent parfaitement (...) Ce crime affreux (...) peut amener les plus effroyables conséquences pour la France d'où on devrait expulser tous les Juifs. » Etc. Réaction du narrateur : « Je sentais que cela allait se gâter et je me remis précipitamment à parler robes. »

Quant à Marcel Proust, il a été pendant l'affaire bien plus proche de Jean Santeuil que du narrateur. Ses lettres à sa mère nous montrent comme il a souffert des souffrances de Dreyfus.

Son dreyfusisme lui est venu d'emblée, moins par l'étude du dossier que par la spontanéité d'un élan du cœur qui lui a fait reconnaître en Dreyfus un frère de race. Pas du tout un frère juif à qui l'uniraient les liens de la conjuiverie. Non : un frère proscrit. Condamné au sens propre, banni au sens propre, impuissant devant l'injustice qui l'écrase, Dreyfus « réalise » la névrose de Proust. Le capitaine Dreyfus accusé de trahison par le conseil de guerre alors qu'il est innocent est, au degré près, l'homologue de Jean Santeuil accusé à tort de tricherie et, par-delà Jean Santeuil, de Marcel Proust lui-même qui depuis la petite enfance subit sa vocation de proscrit. Proust est dreyfusard parce que, plus que quiconque, il est fait pour sympathiser au malheur de Dreyfus; c'est à ce titre qu'il est son congénère. Dans sa fantasmatique, il va de soi que Dreyfus est innocent des crimes qu'on lui impute, de la même manière que Jean n'a pas triché au jeu quoi qu'en dise son accusateur. Quant à l'innocence (réelle) de Dreyfus elle vient en quelque sorte de surcroît. Eût-il été coupable, on peut présumer que Proust n'en n'aurait pas moins cru à l'erreur judiciaire.

Dreyfus est juif. Sauf exception, les antisémites ont une tendance spontanée à se ranger dans le camp de ses adversaires; quand ils prennent parti, les Juifs sont plus nombreux dans le camp de ses partisans. Chez Proust, la réaction serait inversée : ses origines juives feraient plutôt obstacle à son mouvement naturel. On le sent clairement dans un passage de *Jean Santeuil* : « Dans notre effort de sincérité perpétuelle (je parle pour les natures comme Jean) nous n'osons pas nous fier à notre opinion et nous nous rangeons à l'opinion qui nous est le moins favorable. Et, juif, nous comprenons l'antisémitisme, et, partisan de Dreyfus, nous comprenons le jury d'avoir condamné Zola. » Quelques années plus tard, après la réhabilitation de Dreyfus et le relatif apaisement des passions, il ira jusqu'à récuser les Juifs qui s'étaient faits juges des juges de Dreyfus. Il écrira dans la *Recherche* à propos de Joseph Reinach qui était juif lui-même et l'un des chefs de file du « syndicat » : « L'affaire Dreyfus se posait seulement devant sa raison comme un théorème irréfutable et qu'il " démontra ", en effet, par la plus étonnante réussite de politique rationnelle (...) qu'on ait jamais vue (...) Peut-être ce rationaliste manœuvreur de foule était-il lui-même manœuvré par son ascendance. Quand les systèmes philosophiques qui contiennent le plus de vérité sont dictés à leurs auteurs, en dernière analyse, par une raison de sentiment, comment supposer que, dans une simple affaire politique comme l'affaire Dreyfus, des raisons de ce genre ne puissent, à l'insu du raisonneur, gouverner sa raison? ». Proust songe sans doute à ce qu'a été son propre comportement. Et il se met encore indirectement en cause lorsqu'il écrit, à propos de Bloch cette fois : il « croyait avoir logiquement choisi son dreyfusisme et savait pourtant que son nez, sa peau et ses cheveux lui avaient été imposés par sa race ». On n'est pas loin de ce que Proust disait de lui-même dans sa lettre à Montesquiou à propos des Juifs : « Je n'ai pas indépendance pour avoir là-dessus [les idées] que j'aurais peut-être. »

Pendant l'affaire, son dreyfusisme a été tout à la fois chaleureux et réservé. Sa névrose l'a conduit à s'identifier au malheureux condamné. Mais cette même névrose le conduit à vouloir se « déjuiver ». D'où son drame, tiraillé qu'il est par des pulsions contraires. Pendant que Dreyfus, dégradé et humilié, est au bagne de l'île du Diable, il fait se pavaner Jean Santeuil aux côté du roi de Portugal sous le regard du Juif Schlechtemburg et de ses amis. C'est le triomphe de Proust sur la juiverie, abolie dans le roman à défaut de pouvoir l'être dans la vie. Mais au moment même où il écrit *Jean Santeuil,* il recueille des signatures, signe lui-même, s'inquiète auprès de Joseph Reinach du déroulement de l'affaire, fait parvenir à Picquart emprisonné *Les Plaisirs et les Jours,* hommage dérisoire et touchant — le mondain et le littérateur s'inclinant devant le « militant ». Il montre tant d'ardeur qu'on lui propose, semble-t-il, de prendre une part active à la direction du mouvement organisé. Il déclinera l'offre, mais le cœur y est, à coup sûr. On peut s'interroger sur les raisons de son refus. Proust aurait invoqué sa mauvaise santé. Dans d'autres cas elle lui a servi d'alibi. On songerait plutôt à Swann refusant son nom à une pétition : « il le trouvait trop hébraïque pour ne pas faire mauvais effet ». Cela ressemblerait bien à Proust, quoiqu'il ait lui-même signé des manifestes, ce bon ton, cette retenue par rapport à une spontanéité qu'il peut déjà suspecter d'avoir été dictée par le mauvais aloi d'une solidarité de race. Marcel Proust aura occupé une place à part dans la cohorte de tous ceux qui ont soutenu Dreyfus.

9

DREYFUS-DALTOZZI ET PROUST-DALTOZZI
— L'ARISTOCRATIE DÉMYTHIFIÉE —
REMODELAGE
DU LIEUTENANT-COLONEL PICQUART

Marcel Proust écrit *Jean Santeuil* de 1896 à 1899, c'est-à-dire pendant le déroulement de l'affaire : en 1897 dans le salon de Mme Straus Joseph Reinach dévoile le rôle d'Esterhazy et se dit convaincu de l'innocence de Dreyfus. Après mille rebondissements, la grâce, prélude à la réhabilitation, interviendra en 1899.

Il n'est pas question tout de suite de l'affaire Dreyfus dans *Jean Santeuil* mais de l'affaire « Daltozzi » : « Daltozzi fut arrêté sous l'inculpation d'avoir livré des documents intéressant la sûreté de l'État, condamné à huis clos sur des pièces qui ne lui furent pas montrées, et envoyé à Cayenne. Cependant les preuves de sa culpabilité peu à peu divulguées ayant paru plus qu'insuffisantes », etc. Dans les pages suivantes, Marcel Proust donnera à Dreyfus son vrai nom et il mettra en scène ou citera, toujours sous leur vrai nom, quelques-uns des principaux protagonistes de l'affaire : le général de Boisdeffre, le lieutenant colonel Picquart, le commandant du Paty de Clam, Labori, Zola, etc.

Qu'entreprenant d'écrire « à chaud » Proust ait voulu donner un pseudonyme à Dreyfus n'a rien qui doive *a priori* surprendre. On remarquera quand même que la substitution gomme la juiverie du condamné (dont la francité est néanmoins tempérée par une consonance étrangère). On s'arrêtera surtout au nom de Daltozzi. Il sert ici à désigner Dreyfus. Dans un autre passage de *Jean Santeuil,* il désigne sans doute possible l'ami intime de Marcel Proust, Reynaldo Hahn. Et dans un autre passage encore, le nom de Daltozi est porté par un être malheureux, seul, qui a froid, qui a peur de la solitude, qui erre sous la pluie en toussant, « l'air d'un fou », poussé par l'irrésistible envie « de se réchauffer contre des bras, de se protéger ». Une note, inachevée et confuse, laisse entendre qu'il est le prisonnier de pulsions sadiques comme le sera la fille de Vinteuil dans la *Recherche* et comme Proust commençait à l'être lui-même. En se laissant porter dans son travail d'écriture à donner à Dreyfus le nom de Daltozzi, Proust révèle dès la première ligne quel type de rapport le lie inconsciemment au déporté innocent. Plus qu'un partisan de Dreyfus parmi d'autres, il est Dreyfus. Et si, tout en se passionnant pour l'affaire, Marcel Proust s'est récusé quand on lui a proposé un rôle de premier plan dans la mobilisation dreyfusarde, au moins aura-t-il mis à la disposition du « syndicat » son *alter ego* dans le roman qu'il est en train d'écrire, Jean Santeuil.

Jean fait partie du petit noyau des défenseurs les plus actifs de Dreyfus : il travaille avec Labori. « Le matin il partait de bonne heure pour arriver à la Cour d'assises au procès Zola, emportant à peine quelques sandwiches et un peu de café dans une gourde et y restant, à jeun, excité, passionné, jusqu'à 5 heures. » Il connaît désormais « cet état physique, si doux, de ceux dont la vie est brusquement modifiée par une excitation spéciale ». Il y trouve une allégresse d'une qualité qui lui était inconnue jusque-là : celle que lui apporte la confraternité chaleureuse des êtres défendant la même cause. « C'est ainsi que Jean après s'être lavé, changé, avoir dîné chez lui, venait le soir retrouver Durrieux dans cette taverne et que, après s'être mêlé fiévreusement l'après-midi [au] Palais de Justice (...) aux agitations de ces affaires publiques (...) ils venaient tous deux en discuter, en raisonner longuement, arrêter leur avis sur le lendemain (...) Ainsi causaient le soir en vidant un bock, qui prenait de leur repos et de leur joie une douceur singulière, Jean et Durrieux. Puis il fallait se quitter. Mais ce ne serait pas long. "Tu viendras me prendre demain matin, d'ici-là je vais finir les notes que j'ai à prendre pour Labori." A huit heures et demie comme d'habitude, Jean finissait de s'habiller, Durrieux tout prêt venait le prendre (...) Et Jean, alerte, tout frais lavé, prenait ses paquets, ils descendaient vite. "Cocher, au Palais de Justice". » Voilà ce qu'écrit Proust dans *Jean Santeuil,* sinon au jour le jour, en tout cas sans prendre de vrai recul, transcrivant sa propre expérience de l'affaire qui l'a conduit à assister effectivement au procès Zola.

Il réutilisera ses souvenirs dans la *Recherche* une vingtaine d'années plus tard. Mais ce n'est plus le narrateur qui connaît cette excitation « militante », c'est son camarade Bloch, et l'excitation a cessé d'être génératrice de pure félicité, elle est devenue d'un mauvais goût ridicule : « Bloch avait pu (...) entrer à plusieurs audiences du procès Zola. Il arrivait là le matin, pour n'en sortir que le soir, avec une provision de sandwiches et une bouteille de café (...) et ce

changement d'habitudes réveillant l'éréthisme nerveux que le café et les émotions du procès portaient
à son comble, il sortait de là tellement amoureux de
tout ce qui s'y était passé que, le soir, rentré chez lui,
il voulait se replonger dans le beau songe et courait
retrouver dans un restaurant fréquenté par les deux
partis des camarades avec qui il reparlait sans fin de
ce qui s'était passé dans la journée et réparait par un
souper commandé sur un ton impérieux qui lui donnait l'illusion du pouvoir, le jeûne et les fatigues
d'une journée commencée si tôt et où on n'avait pas
déjeuné. »

C'est dans ce même restaurant que nous avons vu
le narrateur arriver conduit par Saint-Loup, après
la défection de Mme de Stermaria; la salle glaçante
des Hébreux qui prendra dans la *Recherche* un
tel aspect de cauchemar est précisément celle où
viennent avec tant d'allégresse chaleureuse au sortir
du Palais de Justice Jean Santeuil-Bloch et leurs
camarades. L'irruption de l'affaire Dreyfus dans la vie
de Marcel Proust a-t-elle bouleversé sa conception du
monde? Proust nous avait habitués à une constante :
ses variations débouchaient toujours sur le même
allegro exaltant d'une francité triomphante. Une petite
phrase se fait maintenant entendre en contrepoint,
insolite dans l'harmonie qui prévalait jusque-là. Il
faut relire les pages que Proust consacre à Jean Santeuil assistant chaque jour aux audiences du procès
Zola, car c'est à cette occasion que se manifeste le point
de discordance.

Le général de Boisdeffre, chef d'État-Major de l'ar-
mée a été appelé à témoigner. Jean le regarde, et
Proust le décrit ainsi : « Quoiqu'il eût l'air encore
assez jeune, ses joues étaient revêtues d'une sorte de
fine lèpre rouge ou violacée comme celle dont la
vigne vierge ou certaines mousses revêtent les murs

à l'automne. » Quand, dans la *Recherche,* le narrateur verra la duchesse de Guermantes pour la première fois, il remarquera également chez elle « des
joues rouges », mais l'imagination aidant et les
« yeux du corps » cédant peu à peu aux « yeux de
l'esprit », ce rouge qui pourrait être disgracieux ne
tarde pas à s'adoucir, à se poétiser en une « couleur
d'un rose spécial allant quelquefois jusqu'au violet »
qui sera le propre de la couleur aristocratique des
Guermantes, et qui, alliée à leur blondeur dorée
et légendaire, exercera sur le narrateur le charme
fascinant de l'inaccessible. Chez le général de Boisdeffre, rien de tel. Il a beau appartenir lui-même à
l'aristocratie, le rouge ou le violacé qui colore son
visage ne font pas songer, comme chez les Guermantes, au « rose-mauve » de « certains cyclamens » :
ils sont comme une lèpre. Son teint est signe non
de délicatesse et de poésie mais de tabagisme et
d'habitude de l'alcool : « c'était en fumant des
cigares, en buvant du cognac (...) qu'il avait doré
et rougi ses joues ». Malgré le respect qu'inspire
« cette chose auguste qui s'appelait " le général de
Boisdeffre " », c'est une impression de vulgarité que
Jean voit se dégager de sa personne. Le charme
n'opère pas.

Exit le général de Boisdeffre. Entre un autre officier
qui vient lui aussi témoigner : le lieutenant-colonel
Picquart, libéré pour la circonstance des arrêts où
l'ont conduit ses doutes proclamés sur la culpabilité
de Dreyfus.

Le chapitre que Proust vient de consacrer à Boisdeffre avait sans doute été écrit d'une traite; il
comporte peu de corrections et l'on ne constate
aucune de ces reprises qui nous permettent de suivre
les hésitations de l'écrivain tâtonnant avant de trouver son expression définitive. A l'inverse, les pages

consacrées à Picquart mettent bout à bout plusieurs
versions successives, comme si Proust avait du mal à
fixer son apparition.

D'une version à l'autre, les variantes portent sur
des détails. Picquart est tantôt en uniforme, tantôt
en civil, il est appelé tantôt lieutenant-colonel, tantôt colonel, il est tantôt à la barre des témoins, tantôt
dans la salle, mais chaque fois Proust le pourvoit de
cette qualité esthétique dont il avait fait jusque-là et
dont il continuera de faire l'apanage de nature des
aristocrates, une inimitable prestance.

Pénétrant en uniforme d'officier dans la salle de la
Cour d'Assises sous le regard de Jean, le colonel
Picquart a la même allure que Saint-Loup tel qu'il
apparaîtra pour la première fois au narrateur : « une
porte ayant été ouverte, on venait de lui frayer passage. Et, rapide, comme descendant de cheval et
gardant à pied la rapide et légère allure d'un spahi
à cheval, la tête oblique et regardant de droit et de
gauche avec un léger étonnement tout en allant vivement droit devant soi avec quelque chose de dégagé
de corps de quelqu'un qui a jeté la bride de son
cheval et laissé ses armes et quelque chose d'un peu
ébloui et étonné, il s'avança jusqu'au président
devant qui il s'arrêta saluant, non pas militairement
mais avec un mélange de timidité et de franchise,
comme quelqu'un dont chaque geste n'a rien de for-
mel et d'extérieur, mais déborde, comme l'allure de
sa marche, le port oblique de sa tête et tout à l'heure
le son de sa voix, d'une sorte d'élégante, fine et chaleureuse personnalité ». Et quand Proust, reprenant
sa page, habille l'officier de vêtements civils et le
place non plus à la barre des témoins où il focalisait
l'attention, mais perdu au milieu du public, Picquart
au nom si commun de bourgeois garde sa distinction
d'aristocrate. En civil lui aussi, Boisdeffre portait un
« pardessus bâillant », un « énorme chapeau haute

forme » incliné sur la tête, tout cela composait avec ses « joues rougies » et ses « yeux clignants » un ensemble de « choses vulgaires ». Les vêtements de Picquart ne doivent pas être bien différents, mais quelle différence! Picquart est « cet homme élégamment coiffé d'un chapeau haute forme brillant et qui ne regardait nulle part en laissant sur sa tête très dégagée et inclinée à droite ou à gauche, flotter un regard paisible et comme sans pensée, comme la petite fumée qui s'élève des villages dans le bleu, par les temps ensoleillés comme celui-ci où le soleil faisait miroiter son chapeau ». On retrouve ce que sera la scintillante arrivée de Saint-Loup dans la luminosité bleue et dorée de la mer et du soleil.

Jean est lui-même dans la salle. Il « savait (...) que le colonel Picquart viendrait peut-être (...) Il n'en reçut pas moins une vive commotion quand un monsieur, qui était à côté de lui, lui dit : " Tenez, celui qui est pour le moment là-bas, c'est le colonel Picquart " (...) Et Jean éprouvait une sensation singulière en voyant là-bas libre, mêlé à la foule, cet homme qu'il savait prisonnier, un homme donné là devant lui, entre tant d'autres, dont l'aspect jeune, le nez un peu trop busqué, la tête jouant assez de côté et d'autre étaient là, donnés dans une réalité physique qu'il ne pouvait pas modifier et dont chaque trait, ce blond-roux de la peau, ce dégagement de la tête, le gênaient presque par la violence qu'ils faisaient à son imagination, habituée à l'imaginer, à le retoucher à sa guise, et obligée de se soumettre là devant une donnée qu'il ne pouvait pas modifier ».

Les lignes qui suivent vont éclairer les raisons de cette gêne : « Jean se l'était figuré alternativement assez vieux, calme, droit, l'air du Devoir mûr, et jeune, beau, ardent, l'air du Devoir jeune. Et il était assez déçu et captivé pourtant par cet homme qui était là-bas devant lui (...) l'air ni jeune ni vieux, blond mais sans moustaches »... Les derniers mots détonnent comme un coup de pistolet au milieu d'un concert : « un peu comme avec l'air d'un ingénieur israélite ».

Avant de nous y arrêter, il n'est pas inutile de rappeler un certain nombre de données de fait.
— Marcel Proust a effectivement assisté aux audiences du procès Zola (pour pouvoir entrer il avait fait appel à son ami Pierre Lavallée dont l'oncle était haut magistrat). Ce qu'il a vu au Palais lui fournit un point de départ que complétera et enrichira (parfois déformera) la dérive de l'imagination proustienne.
— Le général de Boisdeffre et le lieutenant-colonel Picquart ont témoigné à plusieurs reprises au cours du procès.
— Le général de Boisdeffre est venu à la barre en uniforme, portant toutes ses décorations ; il arrivera en civil une fois pour une déposition qui sera finalement reportée.
— La personne du général ne semblait pas donner l'impression de vulgarité que lui prête Jean Santeuil. Le diplomate Maurice Paléologue qui a suivi l'affaire sans apparente passion partisane le dira « très distingué d'allure, calme sans raideur ». Le même Paléologue décrit ainsi Picquart : « élancé, d'une distinction un peu rapide, le front haut ».
— Picquart a déposé une fois en civil ; aux autres audiences, il était vêtu de son uniforme de lieutenant-colonel des turcos, dolman bleu, pantalon rouge bouffant.
— Au moment du procès Zola, Picquart était âgé de 44 ans, Proust en avait entre 26 et 27.
— A la différence du portrait qui en est donné dans *Jean Santeuil* Picquart portait de longues moustaches.

— Picquart n'était pas juif, et Marcel Proust ne pouvait absolument avoir le moindre doute sur ce point.

Marcel Proust ne s'est pas seulement enflammé pour Dreyfus. Il s'est aussi enflammé pour Picquart. Autant ou davantage — en tout cas différemment. Dreyfus lui tend un miroir où Proust croit reconnaître son propre destin. Un miroir grossissant certes, mais fidèle jusque dans son excès, quand bien même le cauchemar est-il vécu par l'un, fantasmé par l'autre. Pour entrer dans cet aspect de la personnalité de Proust, il faut faire corps avec lui, faire cœur avec lui, partager sa passion. Au moment de l'affaire Dreyfus, Proust n'est pas seulement l'écrivain dont on vient de publier *Les Plaisirs et les Jours,* et qui entreprend avec *Jean Santeuil* le roman de sa vie. Il est aussi ce jeune homme, juif ou demi-juif, qui a des goûts mondains, qui va dans les salons, qui prend part à des dîners, qui entend dire (par Montesquiou, par les Daudet, par tant d'autres de ses amis) des choses horribles sur les Juifs, celles-là mêmes qu'il mettra dans la bouche du duc de Guermantes que l'on citait tout à l'heure. Il n'est pas lui-même visé, mais il est ainsi fait qu'elles l'atteignent et il est ainsi fait que le plus souvent il se tait. Mais comme on devine qu'il souffre! Il n'exagère certainement pas quand il écrira, vingt ou vingt-cinq ans plus tard, dans un hommage à Léon Daudet : « Ne pouvant plus lire qu'un journal, je lis, au lieu de ceux d'autrefois, *L'Action française.* Je peux dire qu'en cela je ne suis pas sans mérite. La pensée de ce qu'un homme pouvait souffrir m'ayant jadis rendu dreyfusard, on peut imaginer que la lecture d'une " feuille " infiniment plus cruelle que *Le Figaro* et les *Débats,* desquels je me contentais jadis, me donne souvent comme les premières atteintes d'une maladie de cœur. » Ailleurs, dans une lettre à Mme Straus :

« Je suis malade d'un article de Léon Daudet que j'ai lu ce matin. » Le principal trait de caractère de Proust reste la fragilité.

Il lui arrive de se rêver différent : non plus victime inhibée et muette, ni davantage admis dans le camp des proscripteurs, mais chevalier hardi qui saurait répliquer et au besoin se battre. Nous avons vu dans la *Recherche* le narrateur se mettre à « parler robes » pour détourner la conversation des Juifs et de Dreyfus. Une scène semblable était déjà ébauchée dans *Jean Santeuil* : « Nous avons laissé Jean sur le banc de l'hôtel Réveillon à côté de la jeune duchesse, au moment où elle venait de lui dire qu'elle ne recevrait jamais de Juifs. " Je vous demande pardon de regarder l'heure, lui dit-il, mais j'ai plusieurs choses à faire ". » Cette fois Jean ne fuit pas; il a « à faire » en effet : il doit se battre en duel.

Dans cette période de sa vie, la personnalité de Proust s'articule autour de ces deux pôles contradictoires et complémentaires : il y a chez lui un côté, juif et chrétien à la fois, fait de résignation devant l'adversité, qui le porte à s'identifier à Dreyfus, et, à l'état latent, un côté noble et crâne qui le pousserait à combattre. De ces deux composantes on peut dire la première passive et féminine (quand le narrateur se met précipitamment à parler robes, il ne saurait mieux s'harmoniser à elle), l'autre active, et virilisée par son activité même.

Le restaurant où vont tour à tour Jean avec son compagnon du procès Zola et le narrateur avec Saint-Loup n'est pas seulement le lieu où sont symboliquement délimitées la salle des Hébreux et celle des aristocrates. Il est aussi le lieu où, de *Jean Santeuil* à la *Recherche,* Proust laisse apparaître successivement ses deux natures. A l'inverse du narrateur, Jean n'a pas à être materné ni réchauffé : il porte en lui une chaleur suffisante — celle que lui procure la fra-

ternité virile d'un combat mené en commun, et dont
Picquart est, plus que Dreyfus, le héros.

L'admiration de Proust pour Picquart allait de soi :
la noblesse de Picquart n'hésitant pas à affronter la
prison et la haine ne pouvait que l'exalter. Mais
Proust va bien au-delà de l'admiration — jusqu'à
une identification à Picquart : une identification
héroïque, corollaire de son identification malheureuse à Dreyfus.

Le rôle de Zola dans l'affaire n'a pas été différent de
celui de Picquart : Zola lui aussi a bravé la haine et
la prison au nom de la justice. Mais Zola était littérateur (et, en outre, un peu métèque), et à ce titre
trop proche de Proust pour pouvoir devenir son
héros. Zola, surtout, était déjà illustre. Il n'était plus
retouchable. Alors que Picquart, officier inconnu jusqu'à son éclat, pouvait donner à rêver : il se prêtait
admirablement au remodelage.

Proust n'y a pas manqué. Il a fait du lieutenant-
colonel Picquart un officier-philosophe. Pas « philosophe » comme on le dit parfois des officiers qui
réfléchissent aux choses de la guerre et en tirent la
« philosophie » : vrai et grand philosophe. C'est
même la première chose qui est dite de lui avant qu'il
apparaisse dans la salle d'audience : « c'était (...) un
philosophe, un homme dont toute la vie, bien qu'il
portât un uniforme bleu ciel, s'était passée à chercher, tandis qu'en fait il tournait la bride de son
cheval au tournant d'une route ou allait au quartier
pour une inspection, à chercher à extraire la vérité,
à l'aide de raisonnements, de toutes les choses qui
se présentaient un peu vivement à l'examen de sa
conscience ». Plus loin, Proust qui était encore, peu
auparavant, étudiant en philosophie, le comparera à
Socrate — le Socrate du *Phédon* qui sait devoir mourir.

Quand on lui avait demandé dans le questionnaire

quels étaient ses héros dans la vie réelle, Marcel
Proust avait répondu en citant le nom de deux phi-
losophes qui avaient été ses maîtres, M. Darlu et
M. Boutroux. Tout un passage de *Jean Santeuil* est
consacré à M. Darlu présenté sous un pseudonyme.
Proust lui rend hommage plus qu'à quiconque; il est
pour Jean un génie affectueux et doux, « l'homme
que de sa vie tout entière il a le plus admiré[1] ».
M. Darlu, dont on sait le rôle qu'il a joué dans la for-
mation intellectuelle de Proust est de nouveau présent (sous un autre nom) dans les pages consacrées
au lieutenant-colonel Picquart. Proust fait de son
ancien professeur de philosophie et de l'officier-
philosophe deux amis et deux pairs. Ils ont en
commun le désintéressement, la sagesse, le rayonne-
ment spirituel, et jusqu'à l'élocution et aux tics de
langage que Jean se surprend à imiter. On se sent
en présence d'une sorte d'identification secondaire
qui fait de Picquart un double de Darlu. La reconnaissance et l'affection exceptionnelles que Proust
portait effectivement à M. Darlu sont transférées à
Picquart. Malgré la différence d'âge, Jean Santeuil
voit dans l'officier « un frère », et, ajoute-t-il, « si
quelqu'un voulait lui faire du mal nous nous ferions
tuer pour lui ».

Le professeur de philosophie de Jean était un
« homme plus que mal habillé, c'est-à-dire médio-

1. Voir aussi ce que Marcel Proust en a dit, en tête des *Plaisirs
et les Jours* : « M. Darlu (...), le grand philosophe, dont la parole
inspirée, plus sûre de durer qu'un écrit, a, en moi comme en tant
d'autres, engendré la pensée. » Quant à M. Boutroux, son nom
apparaît dans *Jean Santeuil*, après le passage cité plus haut (« Et,
juif, nous comprenons l'antisémitisme et, partisan de Dreyfus,
nous comprenons le jury d'avoir condamné Zola ») : « Aussi
est-ce une violente et agréable secousse dans notre esprit (...)
quand nous lisons une lettre de M. Boutroux disant que l'antisémitisme est abominable, que les juifs sont autant que les
chrétiens. »

crement habillé, qui ne savait ni saluer ni entrer dans un salon ». Mais il avait la grandeur d'âme. Picquart aura, outre la qualité du philosophe, les manières d'un prince. Nous avons vu quelle distinction se dégage de sa personne. Proust étant ce qu'il était, on pouvait la prévoir. Il était moins prévisible que sa distinction fût si précisément celle d'un cavalier. Dans le portrait de Picquart que nous avons cité, quelques lignes peu travaillées, non corrigées, à peine relues, la comparaison avec la légèreté du cavalier paraît alourdie dans sa redondance : « rapide comme descendant de cheval (...) gardant à pied la rapide et légère allure d'un spahi à cheval (...) comme quelqu'un qui a jeté la bride de son cheval ». Proust interprète plus qu'il ne rend compte, ou s'il rend compte c'est moins de ce qu'il lui a été donné de voir que de l'impression réveillée par ce qu'il a vu − et l'image ainsi réfractée est très homogène : elle est celle d'un élégant cavalier.

De tous les cavaliers que Proust a eu l'occasion de rencontrer dans sa vie, ceux qui l'ont le plus profondément ému étaient au Louvre. Il les a regardés pour la première fois dans sa jeunesse − c'étaient les cavaliers de Van Dyck et de Cuyp, auxquels il consacrera des poèmes publiés avec les *Portraits de peintres* dans *Les Plaisirs et les Jours*. De ces vers il dira trente ans plus tard dans une dédicace à Jean-Louis Vaudoyer : « Ils furent écrits avant une classe à Condorcet, en sortant du Louvre où je venais de voir les cavaliers qui ont une plume rose au chapeau. » Robert de Billy qui avait accompagné Proust au Louvre a témoigné de l'émotion de son ami : « il avait longuement regardé les Van Dyck et les Cuyp : ému par leur grâce, leur noblesse et la lumière dorée dans laquelle se mouvaient les personnages, il composa, en revenant, les beaux vers qui furent plus tard édités avec la musique de Reynaldo Hahn ».

Ces vers nous font retrouver chez les cavaliers de
Van Dyck et de Cuyp —

Des cavaliers sont prêts, plume rose au chapeau
Paume au côté; l'air vif qui fait rose leur peau
Enfle légèrement leurs fines boucles blondes

— la grâce, l'élégance, les couleurs de l'aristocratique
francité qu'il retirera à Boisdeffre pour en faire don à
Picquart.

Dans un autre chapitre de *Jean Santeuil* Proust fait
entrer ces cavaliers dans la mythologie personnelle
de son héros. Jean doit se battre en duel. Passant près
du Louvre « il n'eut pas le courage de résister au désir
d'aller voir " le duc de Richmond " de Van Dyck,
et rentra chez lui se croyant un petit duc de Richmond
parce que, pensif et beau comme lui, il allait se battre
en duel ». (Jean n'a qu'une crainte, vite dissipée : il
croit qu'on doit se rendre sur le terrain à cheval, et
depuis une chute « il avait gardé du cheval une répulsion instinctive », « il avait une sorte d'aversion, de
véritable peur nerveuse pour cet exercice ».)

Marcel Proust ne s'est pas battu en duel à l'occasion de l'affaire Dreyfus. Sans doute l'eût-il aimé.
On trouve la trace de son regret dans les premières
pages de *Sodome et Gomorrhe*. Quand le narrateur
assiste, caché dans sa cour, aux ébats de Charlus et
de Jupien et qu'il craint d'être lui-même surpris,
il se rassure en se disant : « Il ferait beau voir (...) que
je fusse plus pusillanime, quand le théâtre d'opéra-
tions est simplement notre propre cour, et quand,
moi qui me suis battu plusieurs fois en duel sans
aucune crainte, au moment de l'affaire Dreyfus, le
seul fer que j'aie à craindre est celui du regard des
voisins ».

Courageux, blond et beau comme les cavaliers de
Van Dyck et de Cuyp, pensif et juste comme un vrai

et grand philosophe, le lieutenant-colonel Picquart comble fastueusement les manques de Marcel Proust. Le duel qu'il engage sera le plus éclatant et le plus extraordinaire qui puisse être : nouveau chevalier d'une nouvelle chevalerie, il est seul, ou presque, contre une horde d'ennemis.

Avant son apparition à la Cour d'Assises, Marcel Proust n'avait jamais rencontré Picquart (il lui sera présenté l'année suivante, après sa libération). Comme Jean, il a dû être gêné le jour où il lui a été donné de le voir au Palais de Justice « dans une réalité physique qu'il ne pouvait pas modifier ». Le hiatus était inévitable.

Mais une deuxième faille intervient : elle fait de Picquart tel qu'il est décrit par Jean Santeuil un être différent de celui que Proust (comme beaucoup d'autres) a vu pénétrer dans la salle. Le portrait imaginaire ne s'est pas effacé devant la réalité : il a continué d'imprégner le portrait donné pour réel.

Proust aurait pu se limiter à forcer sur la prestance : s'ajoutant au « blond-roux de la peau », elle eût suffi à accorder la personne de Picquart à ses propres mythes, et à en faire un prince de Guermantes avant la lettre. Mais Proust veut en dire plus, et tâtonne au point de se contredire. Ainsi quand il s'efforce d'analyser les raisons du trouble de Jean Santeuil : « Jean se l'était figuré alternativement assez vieux, calme, droit, l'air du Devoir mûr, et jeune, beau, ardent, l'air du Devoir jeune. Et il était assez déçu et captivé par cet homme donné là devant lui (...) l'air ni jeune ni vieux (...) ». Dans la phrase précédente, Picquart avait « l'aspect jeune », et c'est bien une impression de jeunesse en effet qu'on avait vu se dégager du premier portrait de l'officier s'avançant à la barre de son pas de cavalier rapide, léger, presque aérien. La contradiction fait apparaître que

Proust est troublé — et non plus seulement par la violence que la présence physique de Picquart fait à son imagination : il est troublé parce qu'il a du mal à décrire Picquart tel qu'il le voit. Proust doit se soumettre à une nécessité intime qui l'oblige encore à un travail de remodelage. La personne de Picquart doit s'ajuster à d'exigeants et persistants fantasmes.

Proust, étrangement, lui supprime les moustaches ; c'est pour un contemporain la transformation la plus spectaculaire. Elle serait insignifiante si elle ne s'apparentait à ces détails délibérément grossis dans les rêves, dont la fonction est tout à la fois d'occulter et de dévoiler l'essentiel. L'essentiel est bien dans le visage, mais ailleurs : il est dans le « nez un peu trop busqué », d'un busquage non pas aristocratique mais juif, puisqu'il débouche sur ce « un peu comme avec l'air d'un ingénieur israélite », restriction qui disparaît à la fin de la page, Picquart étant enfin pourvu par Marcel Proust d'une « tête blonde un peu rousse d'ingénieur israélite ».

Il le fallait. Il le fallait pour que le lieutenant-colonel Picquart fût davantage son frère, pour qu'il soit davantage son double.

10

NOBLESSE DU DÉPUTÉ COUZON
— UNE AUTRE ARISTOCRATIE

Indépendamment des chapitres consacrés à l'affaire Dreyfus, un « fragment politique » de *Jean Santeuil* porte sur le député Couzon, « chef du parti socialiste à la Chambre », dont les exégètes de Proust ont déjà fait observer qu'il était directement inspiré de Jaurès.

Sans jamais avoir été séduit par le socialisme, Marcel Proust se sentait proche de Jaurès : il était sensible à sa générosité. Du temps de *Jean Santeuil,* il est allé l'entendre au moins deux fois : à la Chambre, où il interpellait le gouvernement sur les affaires de Crète, et, l'année suivante, dans une réunion publique organisée pour Dreyfus et Picquart.

Le débat parlementaire lui a inspiré une scène du roman : Jean Santeuil assiste à une séance de la Chambre qui porte sur les massacres d'Arménie. La discussion vient d'être close. Elle a laissé chez Jean un sentiment de malaise : la France, finalement « ne fera rien ». Mais au dernier moment, Couzon demande la parole et Jean sent aussitôt « qu'il avait été poussé à parler par ce sentiment de la Justice qui le prenait parfois tout entier comme une sorte d'inspiration », et qu'il va dire ce que lui-même vaguement attendait.

Par sa hauteur morale, Couzon s'apparente à Picquart. Au physique tout les oppose. Couzon n'a ni la blondeur ni la prestance de Picquart; son « gros bras court », ses « petites jambes », dénotent en lui la plèbe, mais le voici décrit par Proust : « Quand Couzon se décide à faire de son gros bras court ce petit geste de convention au-dessus de sa tête, c'est comme un signal qui retentit longuement dans le cœur de Jean. Et en voyant les petites jambes de Couzon se hâter disgracieusement vers la tribune, il lui semble que jamais corps humain n'a exprimé tant de dignité et de grandeur. »

Couzon veut que la France intervienne pour empêcher les massacres de s'étendre. Les députés hostiles battent leurs pupitres : ils veulent couvrir sa voix, et Jean « voudrait crier " canailles ", tuer tous ces misérables ». Il fait corps avec Couzon et frémit avec lui comme nous l'avons vu faire corps et frémir avec Picquart.

Marcel Proust avait « enjuivé » Picquart. Rien de tel apparemment avec Couzon. Pas plus que Picquart, Jaurès n'était juif; Couzon dans *Jean Santeuil* ne l'est pas davantage. Proust néanmoins le décrit ainsi : « un homme d'une trentaine d'années, un peu gros, aux cheveux noirs crépus ». Cette dernière notation nous a arrêté : dans l'œuvre de Proust les « cheveux noirs crépus » — ceux de la famille Bloch, ceux de « Rachel quand du Seigneur » et de quelques autres — sont toujours signe de juiverie. Et si rien n'est dit, ici, de la juiverie réelle ou supposée de Couzon, si les mots « juif » ou « israélite » ne figurent nulle part à son propos, l'idée de juiverie n'en est pas moins rampante. Proust en témoigne par un lapsus. Il écrit à propos de Couzon : « le seul grand orateur d'aujourd'hui égal aux plus grands d'autrefois, selon

les journaux socialistes, anarchistes, antisémites ».
M. Pierre Clarac fait justement remarquer en note :
« Le mot [" antisémites "] surprend; Proust l'a sans
doute écrit à la place d'un autre. »

Couzon-Jaurès est bien près de rejoindre Picquart
dans l'étrange espèce des Juifs mythiques, et Marcel
Proust bien près d'ériger en système l'enjuivement
des êtres qui partagent la même noblesse de cœur et
dont il se sent le plus proche, comme si la juiverie
était en train de changer d'aspect.

Dans la partie « mondaine » de *Jean Santeuil,* Marcel
Proust s'était révélé l'antisémite de lui-même au sens
où il se rejetait en tant qu'être-juif : Schlechtemburg
n'est pas seulement un escroc méprisé de tous; il est
aussi, et peut-être d'abord, porteur de la propre juiverie de Proust. Et de même que Proust médiatisant
son aspiration à s'arracher à son destin n'a pu éviter
le grossissement simplificateur, jusqu'à cette sur-
charge, à la fois caricaturale et pathétique, de la
scène de l'Opéra, il n'échappe pas à la surenchère
quand, dans deux autres lieux clos, le Palais de Justice et la Chambre des députés, Jean découvre et fait
siennes les vertus de cette aristocratie nouvelle, celle
de l'âme, plus chaleureuse que l'autre, plus authentique que l'autre parce qu'elle regroupe vraiment les
meilleurs, et où, à la différence de l'autre, pour être
admis, il suffit d'avoir bon cœur.

Proust aurait pu réhabiliter la juiverie avec simpli-
cité. Il y a mis de l'emphase. Sa surenchère juive s'est
exprimée par une voie détournée dont on peut se
demander si elle a été consciemment reconnue : elle
s'est traduite par ce trouble du regard qui lui a fait
déceler chez ces deux Justes, Picquart et Couzon, parce
qu'ils étaient des Justes, un physique de Juif.

11

RÊVE DE SYNTHÈSE
— UN JUSTE INATTENDU :
LE PRINCE DE GUERMANTES
— MARCEL PROUST
ET LA TENTATION DE L'ENGAGEMENT

La passion juive, née des circonstances de la passion dreyfusarde, ne sera pas exclusive de l'autre, plus ancienne, et surtout plus profondément ancrée. La « race rose, dorée, inapprochable » n'a pas perdu son pouvoir de fascination. En dessinant le colonel Picquart comme il le fait, beau comme un aristocrate et Juste comme un Juif, Proust révèle l'idéal humain qu'il porte en lui : il rêve de synthèse, d'abolition des différences, comme dans ces tableaux d'Elstir où disparaissent les frontières entre la terre et l'océan.

Aussi quelle émotion quand un authentique aristocrate se montre sensible au malheur du proscrit! Quelle émotion quand, à Évian, dans la villa du prince de Brancovan, Proust entend la sœur du Prince, la jeune comtesse de Noailles, gémir et sangloter en apprenant la deuxième condamnation de Dreyfus! La comtesse de Noailles inspirera dans *Jean Santeuil* le personnage de la vicomtesse Gaspard de Réveillon, poétesse elle-même, et qui, malgré sa parenté avec le duc et la duchesse, ose prendre le parti de Dreyfus. Dans *Jean Santeuil* encore, Durrieux, le compagnon fraternel de Jean au procès Zola, n'est peut-être pas un dreyfusard ordinaire : on le retrouve ailleurs dans le roman (sous un nom, il est vrai, autrement ortho-graphié) arrière-petit-fils d'un illustre soldat de l'Empire et portant un titre de prince.

Mais c'est dans la *Recherche* que Proust poussera le plus loin son aspiration à la synthèse.

Avec Saint-Loup, bien sûr, noble entre les nobles et néanmoins dreyfusard — et surtout avec le prince et la princesse de Guermantes. Surtout, car chez le Prince et la Princesse la conversion au dreyfusisme est le fait de leur bonté, d'une bonté simple, profon-dément chrétienne, presque paysanne et populaire malgré la hauteur de leur rang, alors que, dans le dreyfusisme de Saint-Loup ne tardent pas à affleurer un brin de dandysme léger et capricieux, une forme du plaisir aristocratique de déplaire : Saint-Loup serait assez proche de ces jeunes gens « bolchevisants et valseurs » que le narrateur devenu plus vieux verra succéder à la génération nationaliste et intransigeante de leurs pères. Au reste, son dreyfusisme ne durera pas plus longtemps qu'une passade, il ne tardera pas à tiédir, et Saint-Loup avouera à Swann qu'il « regrette bien » de s' « être fourré » dans cette affaire. Peut-être sa famille avait-elle raison, et le dreyfusisme lui avait-il été « passé » par sa maîtresse Rachel, « qui est pré-cisément compatriote du sieur Dreyfus ». En « drey-fusant » Saint-Loup, Proust s'est soumis, autant qu'à sa propre inclination dreyfusarde, à la séduction esthétique : il était beau que le plus doré des Guer-mantes s'alliât, fût-ce provisoirement, au camp des Hébreux.

Le ralliement du Prince et de la Princesse sera discret et spectaculaire. On se rappelle la scène : le Prince et la Princesse donnent une soirée dans leur hôtel ; malgré ses craintes, le narrateur y est effectivement invité et admis. Swann a été invité lui aussi, mais malgré la considération mondaine dont il bénéficiait jusque-là en dépit de ses origines juives, il est maintenant en passe, à cause d'elles, d'être frappé d'exclusion. Quand il s'est présenté au Prince, celui-ci n'a pas reçu son salut sur place comme il le fait d'ordinaire : il l'a « entraîné avec lui jusqu'au fond du jardin ». Chacun présume pourquoi : le Prince est en train de mettre Swann « à la porte », car, explique son cousin le duc de Guermantes, « sa conduite à notre égard a été inqualifiable (...) Il est vrai que Swann est juif. Mais (...) j'avais eu la faiblesse de croire qu'un juif peut être Français, j'entends un juif honorable, homme du monde (...) Hé bien! il me force à reconnaître que je me suis trompé puisqu'il prend parti pour Dreyfus ».

Au cours de ce tête-à-tête le prince de Guermantes n'a pas prononcé d'excommunication contre Swann. Il a au contraire communié avec lui dans la même compassion pour Dreyfus, et le narrateur, choisi pour confident par Swann, aura le privilège d'être le seul à le savoir.

Le Prince qui avait sur l'affaire les certitudes patriotiques de son milieu a été pris de doute, non sur la culpabilité du condamné, mais sur la régularité du procès ; il a étudié le dossier, interrogé un général ; ses doutes se sont étayés. « Dès lors, raconte-t-il à Swann, en cachette de la Princesse, je me suis mis à lire tous les jours *le Siècle, l'Aurore;* bientôt je n'eus plus aucun doute, je ne pouvais plus dormir (...) Je fis dire (...) des messes à l'intention de Dreyfus, de sa malheureuse femme et de ses enfants. Sur ces entrefaites, un matin que j'allais chez la Princesse, je vis sa femme de chambre qui cachait quelque chose qu'elle avait dans la main. Je lui demandai en riant ce que c'était, elle rougit et ne voulut pas me le dire. J'avais la plus grande confiance dans ma femme, mais cet incident me troubla fort. »

Un jour, quand le Prince demande à l'abbé Poiré s'il pourra dire le lendemain sa messe pour Dreyfus : « " Non, me répondit l'abbé, car j'ai une autre messe qu'on m'a chargé de dire également ce matin pour lui. — Comment, lui dis-je, il y a un autre catholique que moi qui est convaincu de son innocence? — Il faut le croire. — Mais la conviction de cet autre partisan doit être moins ancienne que la mienne. — Pourtant, ce partisan me faisait déjà dire des messes quand vous croyiez encore Dreyfus coupable. — Ah! je vois bien que ce n'est pas quelqu'un de notre milieu. — Au contraire! — Vraiment, il y a parmi nous des dreyfusistes? Vous m'intriguez; j'aimerais m'épancher avec lui si je le connais, cet oiseau rare. — Vous le connaissez. — Il s'appelle? — La princesse de Guermantes." (...) Ce que sa femme de chambre cachait en entrant dans sa chambre, ce qu'elle allait lui acheter tous les jours, c'était *l'Aurore.* Mon cher Swann, dès ce moment je pensai au plaisir que je vous ferais en vous disant combien mes idées étaient sur ce point parentes des vôtres. »

Scène de mélodrame qui paraît jurer avec la tonalité à laquelle Marcel Proust nous a habitués dans la *Recherche.* Et pourtant la dissonance n'est que de surface. La conversion du prince de Guermantes retranscrit dans le roman, au même titre que la scène de l'Opéra dont elle a la naïveté, un rêve de miracle. De *Jean Santeuil* à la *Recherche,* l'excommuni-cateur est constamment présent dans l'œuvre de Marcel Proust; Jean Santeuil et le narrateur en sont les premières et impuissantes victimes. La logique de la rêverie fait du sauveur le corollaire obligé de l'excommunicateur. A la fois Christ et fée, naturellement

surnaturel, le prince vient prendre place aux côtés
de la duchesse de Réveillon et du roi de Portugal
dans la galerie de ceux qui rendent justice aux Justes
et réhabilitent les réprouvés.

La grandeur dont est investi le prince de Guermantes est douce, chrétienne, oblative, la grâce qu'il
octroie n'implique rien en retour. S'il fallait sexua-
liser la figure du Prince dans ce qu'elle a ici de
mythique, nous la dirions féminine, parce qu'elle
est d'abord maternelle. Picquart et Couzon rayonnent
de la même vertu, mais si l'on peut à bon droit les
placer dans la mouvance parentale, c'est en tant que
modèles critiques et exigeants, non en fantasmatiques
sauveurs; ils ont seulement le pouvoir entraînant de
leur exemple qui oppose au dérisoire de la mondanité le rude combat pour la justice. Ce chemin viril
offrait assez d'exaltantes séductions pour que Proust
fût tenté de s'y engager à la faveur de l'affaire Dreyfus : on en a eu l'écho dans *Jean Santeuil*. Au fond,
Marcel Proust aurait pu aller jusqu'au bout de sa
remise en cause, et devenir, aux côtés de Joseph
Reinach, l'un de ces militants dévoués du dreyfusisme,
dont le nom serait resté familier aux historiens de la
IIIe République. Des hommes comme Picquart et
Couzon auraient peu à peu démythifié et démystifié
l'aristocratie blonde, ils l'auraient dépouillée de son
charme.

Peut-être Proust eût-il écrit quand même, en écrivain « engagé », infléchissant sa nature, et l'adaptant
aux nécessités du combat. Il fera dire par le narrateur à la fin de la *Recherche :* « Diverses théories littéraires (...) m'avaient un moment troublé — notamment
celles que la critique avait développées au moment de
l'affaire Dreyfus et avait reprises pendant la guerre,
et qui tendaient à " faire sortir l'artiste de sa tour
d'ivoire ", et à traiter des sujets non frivoles ni senti-
mentaux, mais peignant de grands mouvements

ouvriers et, à défaut de foules, à tout le moins non plus d'insignifiants oisifs (" j'avoue que la peinture de ces inutiles m'indiffère assez ", disait Bloch), mais de nobles intellectuels, ou des héros. » Proust n'a pas suivi cette voie. Sans doute le devait-il à sa nature, sensible et, mal gré qu'il en eût, féminine. Nous y aurons gagné la *Recherche*.

III

LA JUIVERIE PRESCRITE

Charles Haas

12

CHARLES SWANN ET CHARLES HAAS
− LE CÔTÉ HAAS CONTRE LE CÔTÉ WEIL

Dans la typologie des personnages créés par Proust, Swann occupe une place à part : Juif, mais membre du Jockey et familier des plus grands. De ce gommage de la juiverie, la fortune était une condition nécessaire − non suffisante : Sir Rufus Israëls est lui aussi richissime, et parent de Swann de surcroît, sa famille « qui était à peu près l'équivalent des Rothschild » s'occupe « depuis plusieurs générations » des « affaires des princes d'Orléans », mais ce n'est qu'aux yeux des Bloch père et fils qu'il fait figure de « personnage presque royal ». Pour les Guermantes il reste « un étranger parvenu, toléré par le monde, et de l'amitié de qui on n'eût pas eu l'idée de s'enorgueillir, bien au contraire! ». Swann, à l'inverse, est reçu et reconnu par les Guermantes, il se confond naturellement avec eux, il a leur charme, leur couleur blonde et rose, et jusqu'à leur parler : « c'étaient les mêmes phrases, les mêmes inflexions, le tour de la coterie Guermantes ». Et s'il s'en différencie quand même, ce n'est pas que sa juiverie reparaisse (mise à part la période de l'affaire Dreyfus qui interviendra plus tard), ce n'est pas par défaut d'aristocratisme, ce serait plutôt par excès. Parmi les aristocrates, Swann serait le plus raffiné, parvenant à ce raffinement suprême qui lui fait paraître exquis mais dérisoire le raffinement quotidien, qui lui fait ressentir, parfois, la « bêtise » et les « ridicules » dans quoi baigne aussi le milieu Guermantes.

Marcel Proust a mis souvent en garde contre « la vanité des études où l'on essaye de deviner de qui parle un auteur ». Les investigations de ce type l'agaçaient, et il entendait bien les décourager à l'avance : « Il n'est pas un nom de personnage inventé sous lequel [le littérateur] ne puisse mettre soixante noms de personnages vus. » Sans doute pensait-il au soupçonneux Montesquiou qui n'a jamais cessé de l'intimider, à « Albertine » et plus généralement à toutes les ombres de sa propre intimité qu'une auscultation de son œuvre risquait de mettre au jour. Mais Swann est un cas à part : de tous les personnages « inventés » de la *Recherche,* il est le seul à propos duquel Proust fournit, on ne peut pas dire la clé sous peine de tomber dans l'univoque et le réducteur, non pas vraiment une clé, plutôt un signe, un petit signe de connivence – ces quelques lignes que les familiers de son œuvre ont eu tôt fait de repérer : « Cher Charles Swann, que j'ai si peu connu quand j'étais encore si jeune et vous près du tombeau, c'est déjà parce que celui que vous deviez considérer comme un petit imbécile a fait de vous le héros d'un de ses romans, qu'on recommence à parler de vous et que peut-être vous vivrez. Si dans le tableau de Tissot représentant le balcon du Cercle de la rue Royale, où vous êtes entre Galliffet, Edmond de Polignac et Saint-Maurice, on parle tant de vous, c'est parce qu'on voit qu'il y a quelques traits de vous dans le personnage de Swann » – quelques lignes malicieusement déroutantes, clin d'œil qui nous désigne où chercher sinon le « modèle » en tout cas le point de départ de Swann. Entre le marquis de Galliffet, le prince Edmond de Polignac, Gaston de Saint-Maurice et quelques autres, c'est Charles Haas qui figure dans le tableau de Tissot : l'éblouissant Charles Haas, Juif comme Swann, suprêmement élégant comme Swann, et, comme Swann admis malgré sa juiverie dans les cercles les plus fermés de l'aristocratie. Il est bien vrai que Proust peut se considérer comme son résurrecteur : sans lui, sans Charles Swann, qui se souviendrait encore de Charles Haas? Mais c'est parce qu'il était poussé par ses mythes personnels que Proust l'a fait revivre : le destin de Charles Haas consonait avec sa propre fantasmatique.

Charles Haas naît en 1833, près de quarante ans avant Marcel Proust. Issu de la grande bourgeoisie juive, d'une famille liée aux milieux de la finance, il a rapidement ses entrées à la Cour des Tuileries, à la fois consécration et point de départ d'une ascension sociale d'autant plus éclatante que l'homme a une réelle distinction : il est admis malgré ses origines au Cercle de la rue Royale. Estimait-on quand même que le célèbre tube gris doublé de cuir vert qu'il portait avec tant d'élégance n'avait pas encore tout à fait effacé les traces de la calotte hébraïque de ses ancêtres? Il devra attendre avant de franchir les portes du Jockey : il y est « blackboulé » quatre fois. On le recevra en 1871, sous le parrainage du comte de Saint-Priest et du comte de Bernis après que sa conduite à la guerre eut définitivement dissipé ce qui pouvait rester en lui de sulfureux. Rien ne l'arrêtera désormais dans son *cursus honorum,* jusqu'à devenir l'intime du prince de Galles et du comte de Paris.
Il est déjà parvenu à ce faîte quand le jeune Marcel

Proust lui est présenté dans le salon de Mme Straus.
Mais le fantasme de la juiverie proscriptrice est si
enraciné chez Proust qu'il a du mal à céder même
devant la réalité du cas de Charles Haas. Quelques
années plus tard, quand il travaille pour *Jean Santeuil*
au personnage du duc de Réveillon, il est à la
recherche de traits de morgue nobiliaire. Il relit
Balzac, puis il interroge Mme de Brantes, aristocrate
elle-même et femme d'esprit, qui lui témoigne une
réelle bienveillance. Il lui écrit : « J'ai trouvé dans
Gobseck de ces portraits de vieux nobles comme il
m'en faut un pour mon roman et pour lequel je
glane des mots " à la Aimery de La Rochefoucauld ". » Aimery, comte de La Rochefoucauld,
appartient à cette catégorie d'aristocrates qui vivent
encore sous l'Ancien Régime, que l'on dit si attachés
à l'étiquette, si pénétrés de l'importance de leur
rang, qu'ils placent leur épouse à gauche dans leur
voiture pour peu qu'elle soit moins « née », que
dans le monde ils se réservent de ne tendre la main
droite qu'à leurs pairs, ne consentant aux autres que
la main gauche, etc. Tout le faubourg Saint-Germain
connaît les réparties du comte, surnommé « place
à table »; il fascine Marcel Proust. Bien de ses traits
seront directement transférés au duc de Réveillon
dans *Jean Santeuil,* puis dans la *Recherche* au prince
de Guermantes, à Charlus, au prince de Foix et à
d'autres. Mais pour l'heure, Proust en est seulement
à se « documenter », à vérifier ses sources. Il écrit
donc à Mme de Brantes : « Je vous montrerai mon
Duc de Réveillon (...) et vous me direz si les tics, pré-
jugés, habitudes que je lui suppose sont trop exagérés.
Je voudrais savoir si une chose comme la main gauche
(et sa femme à gauche dans la voiture) de votre ami
sont fondées sur quelque chose, sinon pour lui au
moins pour d'autres. Y a-t-il des gens que vous
auriez pu connaître qui fissent cela [?] Et quand on

entrait dans leur intimité, cela subsistait-il [?] » Nous allons souligner la phrase suivante parce qu'elle est particulièrement révélatrice : *« N'auraient-ils donné que la main gauche (ou d'autres marques de mépris que j'aimerais bien savoir) à M. Haas (...) [?] »*

Il est notoire que Charles Haas est l'un des proches du chef de la Maison de France devant lequel s'inclinent tous les La Rochefoucauld, il est inimaginable de le ranger, lui, l'un des hommes les plus recherchés de Paris, parmi ceux à qui l'on pourrait refuser la main droite. Proust le sait mieux que quiconque mais il s'en accommode difficilement, il n'arrive pas à y croire. Sa tendance profonde le pousse à refuser de reconnaître l'évidence. La psychanalyse nous familiarisera avec ce mécanisme du déni de la réalité, avec le *je sais bien mais quand même* que rappelle si étrangement sa démarche.

Marcel Proust fréquente lui-même les salons – et parfois les mêmes salons que Charles Haas. Il lui arrive d'écrire pour *Le Figaro* ou *Le Gaulois* des chroniques mondaines, qu'il signe ou ne signe pas : il rend compte des soirées, décrit les robes et la beauté des femmes. C'est que, à la différence de Charles Haas, il se situe d'emblée en marge, il se veut petit et humble : « échotier » plutôt que mondain à part entière, émerveillé d'être accepté et croyant devoir rendre en échange des adjectifs emphatiques et redondants comme on rend un dîner. Montesquiou devient sous sa plume un génie, et la femme la plus banale, pour peu qu'elle porte un grand nom, une déesse. Il n'est jusqu'au fat et redoutable Aimery de La Rochefoucauld qu'il ne s'apprête à métamorphoser en « lettré des plus éminents et des plus délicats[1] ».

1. Dans une page consacrée au salon de la comtesse Aimery de La Rochefoucauld, inédite du temps du Proust et éditée après sa mort dans *Textes retrouvés*. MM. Kolb et Price qui l'ont publiée

Ses camarades de lycée qui l'ont suivi dans le monde
se méfient de sa « gentillesse » excessive. Marcel
Proust leur paraît courtisan. Il l'est certes, mais avec
le zèle candide d'un chrétien qui s'imposerait de payer
un trop lourd denier du culte. Rien ne l'y oblige vraiment : il vit à une époque où les barrières de la
naissance ont cessé d'être tout à fait infranchissables,
il appartient à la grande bourgeoisie riche et cultivée,
sa situation sociale lui a permis d'entrer de plain-pied
dans les milieux mondains, et tout en restant lui-même
il ne tarde pas à avoir d'authentiques aristocrates
parmi ses amis les plus proches. Mais cette admission,
naturelle dans la vie, inattendue dans son fantasme,
n'a pas cessé de le surprendre. Il saurait s'adapter à
l'élégance nonchalante des salons, mais, hanté par la
crainte permanente de déplaire et le cauchemar de
l'exclusion, il en devient gauche, d'une gaucherie que
devraient compenser mais qu'aggravent ses excès
courtisans.

Quand il met la mondanité entre parenthèses pour
répondre à sa vocation la plus profonde, la littérature,
il fait preuve de la même humilité. Il a un peu plus de
vingt ans quand il compose *Les Plaisirs et les Jours*.
« Œuvre de jeunesse, écrite au collège, avant le régiment », dira-t-il bien plus tard (en se trompant sur
les dates), mais dont il sera loin de mésestimer la
valeur : « un livre (...) mieux écrit, ou moins mal,
que *Swann* ». Au moment de la parution, il est beau-

font observer que les premiers mots du manuscrit étaient :
« *Loin de s'attacher* »; ces mots ont été biffés, et la première phrase
consacrée au comte Aimery de La Rochefoucauld est devenue :
« *est un lettré des plus éminents et des plus délicats* ». On nous par-
donnera de proposer une hypothèse que rien ne vient « objecti-
vement » étayer. Nous imaginons volontiers que Proust s'apprê-
tait à écrire quelque chose comme : « Loin de s'attacher aux
marques de respect que lui valent sa naissance et son rang, le
comte Aimery », etc., et que sentant qu'il allait quand même
trop loin, il se soit finalement repris.

coup moins sûr de lui; il parle de la « médiocrité de l'ouvrage », « recueil de petites choses ». Sans doute faut-il faire la part de la modestie, réelle ou affectée, d'un auteur débutant. Mais il est remarquable qu'il ait cru devoir se faire parrainer : il multiplie les démarches, demande une préface à Anatole France, des illustrations à Madeleine Lemaire qui se fait longtemps prier, la plaquette devient un grand volume vendu très cher, provoquant les railleries de ses camarades. Il entrera en littérature comme dans les salons : il a du mal à se faire à l'idée qu'il puisse être accepté pour lui-même.

Marcel Proust se découvre dès cette première œuvre. Non pas seulement le futur auteur de la *Recherche* dont la thématique commence à s'esquisser, mais aussi ce jeune homme anxieux qui, à la faveur de la fiction, se dote de cette qualité de nature qu'il admire tant chez d'autres et dont il ressent si cruellement le manque : la prestance.

Une première lecture des *Plaisirs et les Jours* laisse l'impression qu'aucun des personnages n'est directement inspiré de Charles Haas, le Juif arrivé. L'un d'eux, le premier à apparaître dans le recueil, Baldassare Silvande, a néanmoins en commun avec Haas l'élégance, le prestige et la puissance. Baldassare Silvande est l'oncle du petit Alexis qui en a fait son modèle : « Il avait toujours adoré son oncle, le plus beau, le plus jeune, le plus vif, le plus doux de ses parents ». Dans un salon Baldassare est le plus brillant quand bien même « tous les plus grands seigneurs, les plus glorieux artistes et les plus gens d'esprit d'Europe y fussent réunis. » Il s'oppose surtout au père d'Alexis : « Alexis, qui désapprouvait hautement la mise sombre et sévère de son père et rêvait d'un avenir où, toujours à cheval, il serait élégant comme une dame et splendide comme un roi, reconnaissait en Baldassare l'idéal le plus élevé qu'il se formait d'un homme; il savait que son oncle était beau, qu'il lui ressemblait, il savait aussi qu'il était intelligent, généreux, qu'il avait une puissance égale à celle d'un évêque ou d'un général. »

Placé devant un destin alternatif, la grisaille de son père ou l'éclat de Baldassare, Alexis entend bien quitter la mouvance paternelle, et à ce titre il renverrait à Marcel Proust : lui-même se situait à un carrefour semblable, où s'opposaient le « côté Weil » et le « côté Haas », l'enfoncement dans la juiverie ou l'émancipation hors de la juiverie, le côté Guermantes (déjà anticipé par Baldassare) venant de surcroît, dans le prolongement naturel du côté Haas. Il est vrai que dans son cas le père n'était pour rien dans sa disgrâce originelle, mais en matière de sexe l'optique de Proust est formidablement brouillée : les mères seront chez lui volontiers paternisées (on sait que dans son article célèbre du *Figaro* il emploiera le mot « parricide » au lieu de « matricide » qui paraît absent de son vocabulaire), et les pères, qu'il s'agisse de M. Santeuil ou du père du narrateur, victimes d'un effacement qui tend à les déviriliser. Cette disposition spontanée aidera Proust à détourner vers ses pères de roman une agressivité qu'il eût dû « logiquement » réserver aux mères. L'épisode de la duchesse de Réveillon se substituant comme mère à Mme Santeuil restera exceptionnel. C'est un père d'élection qui sera le plus souvent recherché, et ce rôle reviendra à Haas, modèle paternel-maternel *princeps,* dont Baldassare (Bald-*ASS*-are?) et Swann constitueront l'un le premier, l'autre le dernier avatar.

Hormis les quelques lignes qui paraîtront dans la *Recherche,* Proust n'a laissé à notre connaissance aucun texte sur l'impression que lui fit Charles Haas. A défaut de son propre témoignage, nous disposons de celui de Fernand Gregh qui fréquentait lui aussi chez Mme Straus : « Sa réussite exceptionnelle [de Charles Haas] faisait rêver le snobisme de Marcel Proust », écrira Fernand Gregh, « et toute son œuvre est peu à peu sortie de ce rêve de jeune homme. Oui, *A la Recherche du Temps perdu,* et surtout *Du côté de chez Swann* est issu de la méditation du cas de Charles Haas, membre du Jockey-Club bien qu'israéliste, par le jeune Marcel Proust dont la mère était née Weil. Tout le reste s'est agrégé autour de cette figure d'Haas-Swann, germe à la fois et tige de l'arbre au feuillage innombrable. »

13

ÉCHAPPER A SA CONDITION NATIVE
— TROIS CLÉS POUR SORTIR DU GHETTO :
L'HÉROÏSME, L'ARGENT, L'ART

Si notre hypothèse de recherche ne nous égare pas, nous devrions retrouver la trace de Charles Haas dans *Jean Santeuil* aux côtés de ces deux autres figures juives que sont Schlechtemburg et Dreyfus.

M. d'Utraine, personnage épisodique, se limite à une brève apparition, dans un chapitre au demeurant inachevé. Il n'en fait pas moins une profonde impression sur Jean Santeuil : « l'idéal de l'homme supérieur (...) il croyait le discerner sous les traits d'un homme [M. d'Utraine] dont les redingotes étaient aussi originales, aussi délicatement colorées, aussi harmonieusement fondues que les pensées, qui était aussi beau, aussi courageux, aussi spirituel, aussi modeste, aussi chic qu'il était artiste et intelligent, qui était aussi ami de la duchesse de Réveillon et de la princesse de Galles que d'Anatole France, de Tolstoï et d'Ibsen, faisait du bien à ses paysans et était pourtant d'une incroyable élégance, qui, le même jour, avait été élu vice-président du Jockey et avait eu la médaille d'honneur au Salon, dont la maison était un chef-d'œuvre au même titre que ses tableaux », etc. Tel qu'il se trouve défini, M. d'Utraine répète le personnage de Baldassare Silvande; Proust les a dotés l'un et l'autre du même pouvoir de séduction; ils ont également en commun d'être à l'opposé du vrai père : M. d'Utraine apparaît immédiatement après un passage dans lequel M. Santeuil a présenté à son fils l'homme à qui il souhaiterait le voir ressembler : le raisonnable Duroc, « bien mis sans élégance et beau sans charme », toujours reçu premier à ses concours. Mais Jean récuse Duroc, trop semblable à son père : « Maintenant que l'idéal de l'homme supérieur ne se présentait pas pour lui sous les traits d'un lauréat de tous les concours, Jean croyait le discerner sous les traits d'un homme dont les redingotes » etc. Nous serions tenté de dire que Duroc est du côté Weil, et M. d'Utraine du côté Haas.

Encore faudrait-il qu'une touche de juiverie fût présente chez l'un et l'autre. Rien ne paraît suggérer que M. d'Utraine ait des origines juives. Et pourtant Proust nous dit qu'il avait dû être jadis un « hostis » aux yeux des Réveillon : c'est qu'il a pu et su échapper à sa condition native, et, comme Charles Haas, infléchir son destin. Quant à Duroc, Marcel Proust l'a enjuivé, d'une juiverie perceptible grâce au caractère d'ébauche qu'a gardé *Jean Santeuil* : Proust ne se relisant pas ou se relisant mal, il lui est arrivé, d'une page à l'autre, de modifier le nom de ses personnages. C'est le cas de Duroc qui, par un glissement de plume, reçoit un instant le patronyme typiquement juif de Worms.

Proust sera plus explicite avec un autre personnage qui connaîtra comme M. d'Utraine une exceptionnelle ascension sociale : Antoine Desroches, jeune homme pauvre qui a pour lui d'être « intelligent, ambitieux et habile ».

« Antoine Desroches était devenu au régiment l'ami intime du jeune Frédéric de Breslau, prince de Brême, fils d'une des personnalités les plus considérables du monde impérialiste, et de la famille même de l'Empereur (...) Il émerveillait le jeune prince par la solidité de ses connaissances artistiques. Un jour de permission où il alla le voir pour la première fois à l'hôtel de Breslau, il étonna le père et la mère de Frédéric en discutant pièce par pièce la valeur de leur célèbre collection de tableaux et d'objets d'art (...) Le père d'Antoine avait été toute sa vie employé. Antoine dans son enfance n'avait eu des rares gens du monde en rapport d'affaires avec son père que des paroles protectrices. Il était des gens à qui on donne, en échange d'un service rendu, une place de théâtre, parce qu'il est impossible de les inviter chez soi. Il voulait que tous ces gens fissent des bassesses un jour pour être invités chez lui. »

Proust interrompt maintenant son récit pour traiter plus généralement des ambitions propres à l'humilié : « la courtisane désire le respect ou l'amour », « le domestique désire l'indépendance »; il y a aussi les « jeunes gens nés de parents dont la profession ou la race fut dédaignée », qui « lâchent leurs amis, gâchent leur bonheur, engagent leur fortune, donnent leur vie pour avoir un noble comme témoin dans un duel ou comme invité à leur table ».

Parti du bas de l'échelle sociale, et à ce titre assimilable aux Juifs, Antoine Desroches entreprend avec méthode de s'égaler à ceux qui le dédaignèrent : « Antoine Desroches n'avait pas permis au prince de Brême de l'aider de ses ressources : le prince le protégea de son crédit (...) Il fut de toutes ses chasses, de tous ses dîners. Présenté à plusieurs grands seigneurs du monde de l'Empire, il leur rendait de grands services par ses connaissances artistiques de premier ordre. Et en leur faisant ainsi gagner beaucoup d'argent sans jamais consentir à en recevoir, il forçait leur admiration et leur intimité. »

Antoine Desroches déploiera la même adresse pour élever sa femme plus haut encore : pour elle « il rêvait (...) cet empire sur la crème de la société parisienne, sur le faubourg Saint-Germain le plus légitimiste et le plus fermé, sur le corps diplomatique et sur les familles royales étrangères ». Et le rêve, naturellement, se réalise. Le salon de Mme Desroches devient « un des salons les plus recherchés entre les salons brillants de Paris », elle-même est « à tous les grands dîners donnés dans le faubourg Saint-Germain », on l'aperçoit « au premier rang » des « loges impériales et royales ». Exceptionnelle réussite, qui fait d'elle le double féminin de Charles Haas.

Marcel Proust en fera aussi une parente des Santeuil : cousine de Mme Santeuil, Jean l'appelle « tante Louise », et leur rapport est assez étroit pour que Jean soit invité à une « petite soirée » que Mme Desroches donne dans son hôtel « en l'honneur de Leurs Majestés l'Empereur et l'Impératrice de Russie ». Jean se trouve associé à son fabuleux destin.

Là encore, la consonance avec le thème de la juiverie surmontée aurait été plus riche si Proust avait quelque peu enjuivé ses héros. Il est vrai que, en dehors de la chaîne associative qui l'a conduit, à propos d'Antoine Desroches, à évoquer l'humiliation juive et son corrélat, le désir de revanche, Proust ne semble rien avoir introduit de tel. Et pourtant, dans un autre chapitre, il est de nouveau question du protecteur d'Antoine Desroches. Jusque-là ce protecteur avait toujours été le prince de Brême. A la faveur d'une de ces erreurs dont Proust est familier, il change brusquement d'identité : c'est le duc de Marengo qui a fait la fortune de Desroches. La confusion n'est pas sans importance, car de ce généreux duc de Marengo nous apprenons dans la même page qu'il avait une « basse extraction juive ». La juiverie est bien présente, même si, comme dans les images d'un rêve, elle se trouve déplacée, allant du protégé au protecteur.

Marcel Proust ira plus loin encore : cette famille d'origine juive que la bravoure d'un ancêtre a fait accéder à la noblesse d'Empire sera admise chez les Réveillon, malgré ce que nous savons de l'ostracisme de la duchesse à l'égard des Juifs, et même elle s'alliera aux Réveillon par les liens de la parenté : « Eugène (...) duc d'Austerlitz, oncle maternel de Borodino [1] (...) avait été une première fois repoussé quand il avait voulu se marier dans la société des Réveillon. Mais s'étant jeté sur une Américaine milliardaire qui était morte peu de temps après, il avait pu, grâce à cette immense fortune et à un titre de duc dont les Réveillon avaient seulement vu alors toute la grandeur historique, épouser la propre nièce de la duchesse. »

Moralité. Trois clés permettent de sortir du ghetto, dont deux au moins doivent être simultanément possédées :
— *la guerre,* qui permet de devenir un héros;
— *l'argent,* qui peut effacer la médiocrité de la naissance;
— *l'art,* qui fournit un passeport pour le monde.

---

1. Dans le passage précédemment cité, c'est le duc de Marengo, protecteur de Desroches, qui est l'oncle du prince de Borodino. Il est possible que Proust ait imaginé de pourvoir Borodino de deux oncles également illustres, le duc de Marengo et le duc d'Austerlitz. Il est beaucoup plus probable que nous soyons en présence de l'une de ses confusions de noms si fréquentes dans *Jean Santeuil,* et que le duc de Marengo et le duc d'Austerlitz ne fassent qu'un.

14

SWANN ET HAAS SOLDATS GLORIEUX
– LES DUELS RÉPARATEURS
– CHEVALIER DE LA LÉGION D'HONNEUR
– EN MARGE DE L'ÉLAN DE LA FRANCITÉ

Le passé militaire de Swann est semblable à celui de Charles Haas. Nous savons que Haas a dû à sa conduite en 1870 de pouvoir lever les derniers obstacles qui s'opposaient à son admission au Jockey. Swann de son côté, « tout jeune mobile » dans la même guerre, y a gagné une décoration. Il n'en fera jamais état tant qu'il sera incontesté; il la portera à la fin de sa vie quand son dreyfusisme aura compromis sa position mondaine, ajoutant même « à son testament un codicille pour demander que (...) des honneurs militaires fussent rendus à son grade de chevalier de la Légion d'honneur ». Bien que Swann veuille ainsi marquer ses distances avec la campagne antimilitariste où se dévoie parfois le mouvement dreyfusard, peut-être est-ce aussi pour lui une manière de faire belle figure dans son déclin, et d'alléger par le rappel de sa gloire militaire une juiverie dont il ne s'était pas accoutumé à sentir le poids.

En eût-il eu le goût, Marcel Proust, né en 1871, ne pouvait avoir l'occasion de se montrer sous le jour d'un homme de guerre. A défaut d'éclat militaire au moins s'est-il rêvé bretteur infatigable, allant volontiers (comme Swann) « laver son honneur » sur le terrain. Jean Santeuil se bat très souvent en duel. Il en sera de même du narrateur, qui, dans la *Recherche,* aime à se référer à ses duels passés et entre autres, nous l'avons vu, à des duels liés à l'affaire Dreyfus.

Dans sa vie vécue, Proust s'est battu en duel — une fois, à la suite d'un article de Jean Lorrain sur *Les Plaisirs et les Jours* qu'il avait jugé offensant. Proust, dit-on, se montra très crâne. Les deux adversaires s'étant mutuellement ratés après avoir tiré chacun une balle de pistolet, le sang ne coula pas, mais « cette rencontre mettait fin au différend », comme il fut dit dans le procès-verbal. L'honneur était sauf, et Marcel Proust reçut beaucoup de félicitations.

Quelle que fut la bassesse de la « critique », le duel n'était pas né d'une offense littéraire : poète et chroniqueur, Jean Lorrain était surtout un homosexuel volontiers provoquant; dans son article il mettait en cause la nature de l'amitié qui liait Marcel Proust et Lucien Daudet.

Il est évident que pour Marcel Proust tout imprégné de ses fréquentations aristocratiques, le duel est « réparateur » au sens du XVIIᵉ siècle : il efface une honte. Si la honte n'est pas ici celle de la juiverie, elle l'est de l'autre « race maudite ». Fort d'un duel anoblissant, Proust possède désormais une sorte de certificat moral qu'il ne manquera pas de brandir, au même titre que son certificat de baptême à Saint-Louis d'Antin dont il était si fier de parler à Lucien Daudet.

C'est ainsi que, vingt-trois ans plus tard, à la parution du *Côté de Guermantes,* il lit dans le feuilleton littéraire du *Temps* qui lui est consacré par Paul Souday un petit mot qu'il accepte mal : on dit de lui qu'il est « un esthète nerveux, un peu morbide, presque féminin ». C'est ce dernier adjectif qui lui déplaît. Il écrit aussitôt à Paul Souday : « Au moment où je vais publier *Sodome et Gomorrhe,* et où, parce que je parlerai de Sodome, personne n'aura le courage de prendre ma défense, d'avance vous frayez (sans méchanceté, j'en suis sûr) le chemin à tous les méchants, en me traitant de " féminin ". De féminin à efféminé il n'y a qu'un pas. Ceux qui m'ont servi de témoins en duel vous diront si j'ai la mollesse des efféminés. » Il y revient huit jours plus tard dans une deuxième lettre à Paul Souday qui avait parlé de lui cette fois comme d'un malade imaginaire : « je voudrais que vous demandiez à mes témoins de duel, moi qui ne me suis jamais réconcilié avec mes adversaires, si mon caractère est celui que vous croyez ». Puis, dans une troisième lettre : « " Féminin ", appliqué à moi, a fait son chemin, comme je le craignais; des " coupures ", notamment du *Figaro,* me l'apprennent, et le chemin de *Sodome* devient aussi un *leitmotiv.* On ne m'a pas encore retiré ma croix de chevalier (mais cela viendra peut-être). »

La croix de chevalier de la Légion d'honneur, Marcel Proust se l'était vue décernée quelques semaines plus tôt. Sans la solliciter lui-même, il avait accepté que ses amis la demandassent en son nom. Il semble bien qu'il ait été très heureux de recevoir une distinction dont sa propre équation personnelle amplifiait le sens : il ne pouvait être que sensible à cette nouvelle marque de noblesse (d'une noblesse relative, mais virilisante) qui lui était conférée.

Il est vrai que Marcel Proust a été fait chevalier de la Légion d'honneur au titre de ce ministre de l'instruction publique dont la dénomination même paraissait jadis si comique au duc de Guermantes.

La décoration de Swann était plus glorieuse : il l'avait gagnée sur le champ de bataille. Agé de quarante-trois ans en 1914, Proust était encore assez jeune pour être mobilisé. On le réforma. Au regard de son état de santé, sa réforme n'avait rien qui fût choquant. Par rapport à l'œuvre qu'il lui restait à écrire et à laquelle il ne cessa de travailler pendant les quatre années de guerre, ce fut une décision très heureuse : sans elle la *Recherche* eût pu rester inachevée.

Mais les sentiments de Proust à cette époque sont plus complexes. Quand bien même souhaite-t-il être reconnu inapte à la mobilisation, il redoute d'être enfoncé dans une troisième « race maudite », celle de ces embusqués dont il montrera quelques-uns dans la *Recherche* : l'habitué de la maison de Jupien, énorme et veule — « effrayé par l'idée d'être mobilisé (...) comme il était très gros, il s'était mis à boire sans s'arrêter pour tâcher de dépasser le poids de cent kilos au-dessus duquel on était réformé » — ou le jeune homme en smoking, rencontré dans la maison de Jupien lui aussi quand il vient se faire réserver « Léon » pour le lendemain matin. Sans doute Proust eût-il aimé, au moins esthétiquement, être comme Saint-Loup feignant par délicatesse la désinvolture à l'égard du devoir militaire, et faisant en secret « des pieds et des mains » pour être envoyé au front. En fait, il est comme Bloch : en marge, exclu et s'excluant de l'élan de la francité vers les frontières. Quand on lui demande, au début de la guerre, s'il ne va pas bientôt partir, Bloch ne répond que d'un mot : « myope ». Le mot de Proust eût été tout aussi bref : « asthme ». Et, comme Bloch, il est terrifié à l'idée qu'il pourrait quand même être « pris ».

Lettre à Lucien Daudet, fin 1914 : « Je vais passer un conseil de révision et je serai probablement pris, car on prend tout le monde. Du reste j'ai été stupide car je n'avais pas à me faire inscrire, ayant été rayé des cadres comme officier et ces Conseils n'étant que pour les soldats. »

Lettre à Mme Catusse, 17 octobre 1914 (Mme Catusse était une amie de sa mère; son fils, blessé dans les premiers jours de la guerre, était soigné dans un hôpital militaire de Montluçon) : Marcel Proust lui parle longuement de ses propres ennuis de santé, d'une « crise d'étouffement » qu'il vient d'avoir, « infiniment plus violente » que ses crises quotidiennes. Il ajoute : « Je suis honteux de parler ainsi de moi en ce moment où tout le monde souffre plus que moi, et plus utilement, et surtout de parler ainsi à la mère d'un jeune héros. Mais c'est surtout par peur qu'elle ne me suppose indifférent quand je pense constamment à elle et à lui. Je tenais à ce que vous sachiez l'impossibilité matérielle où j'avais été d'écrire de par cette souffrance que je bénis, d'ailleurs, car je suis un peu moins humilié de ne pas courir les dangers des autres, en n'étant pas heureux non plus. » Proust en vient à ce qui paraît être l'objet principal de sa lettre, même si des raisons de décence l'obligent à ne l'aborder que par prétérition : « En revanche, je crains beaucoup d'être " contre-réformé ", car je ne sais pas un mot du métier d'officier d'administration (c'est avec ce titre que j'ai été rayé des cadres il y a deux ans) et si je devais en exercer les fonctions, sans parler de l'incapacité résultant de ma santé, je me demande quel trouble je n'apporterais pas dans les services. Si j'avais su que vous étiez l'amie du Directeur du Service de Santé de Montluçon (faisant justement partie des Services de Santé) je serais venu, si vous aviez pu me recommander à lui, à Montluçon, pour qu'il se rendît compte de mon état et maintînt ma réforme. Un voyage à Montluçon eût été une terrible fatigue pour moi, mais je l'aurais réparée par des mois de lit, tandis qu'une fatigue qui durerait toute la guerre serait, dès les premiers jours, au-dessus de la force de résistance de mon cœur et de mes reins. Mais quel bonheur que vous ayez eu cet ami si précieux pour Charles, empêchant sa blessure de s'envenimer, faisant tomber sa fièvre, le guérissant, oserai-je dire, trop vite, puisque Charles pense déjà à repartir. Tâchez de lui faire comprendre que pas seulement pour vous, mais même pour son devoir militaire, il ferait une folie de partir trop tôt et insuffisamment guéri. » Proust termine ainsi : « Vous trouverez peut-être ces conseils bien pacifiques et je vous demande de ne pas croire qu'ils viennent d'une âme vulgaire. Mais je n'ai jamais compris qu'on fît de l'héroïsme pour le compte des autres. Bien humble comparaison : je n'ai jamais voulu que mes témoins arrangent une affaire pour moi, mais, quand j'ai été témoin, j'ai toujours évité le duel à mon client. »

Ce qui l'effraie dans la guerre, c'est l'inconfort : la perspective de quitter sa chambre pour des lieux inconnus et froids l'épouvante. Malade, et surtout maladivement fragile et douillet, il insiste sur la maladie plus que sur la fragilité : à la différence de Marcel Proust lui-même, le narrateur passera la plus grande partie de la guerre de maison de santé en maison de santé, et, au cours de ses rares passages à Paris, il aura tendance à se poser plus en ancien combattant qu'en non-combattant. Ainsi quand il rencontre M. de Charlus sur les boulevards : « il me tapa sur l'épaule (...) profitant du geste pour s'y appuyer jusqu'à me faire aussi mal qu'autrefois, quand je faisais mon service militaire, le recul contre l'omoplate du " 76 " ».

Les propos que tient Charlus en pleine guerre sont plutôt « défaitistes »; s'ils étaient entendus par les soldats en permission qui descendent les boulevards, ils lui vaudraient d'être conspué, et peut-être emmené au poste comme agent de l'Allemagne. « Pour des raisons diverses — parmi lesquelles celle d'avoir eu une mère duchesse de Bavière pouvait jouer un rôle — [M. de Charlus] n'avait pas de patriotisme. » Étranger à la passion chauvine qui dissout tout esprit critique dès qu'il s'agit de la guerre, il manifeste sa distance à l'égard de « l'optimisme triomphant de gens (...) qui croyaient chaque mois à son écrasement [de l'Allemagne] pour le mois suivant, et au bout d'un an n'étaient pas moins assurés dans un nouveau pronostic, comme s'ils n'en avaient pas porté, avec tout autant d'assurance, d'aussi faux, mais qu'ils avaient oubliés. » Le narrateur l'écoute en silence, n'osant pas le contredire, n'osant pas l'approuver, prenant soin quand même dans ses réflexions muettes de prévenir à l'avance le reproche de « patriotisme allemand » que l'on pourrait adresser à Charlus : « nul doute que, vivant en Allemagne, les sots allemands défendant avec sottise et passion une cause injuste ne l'eussent irrité; mais, vivant en France, les sots français défendant avec sottise et passion une cause juste ne l'irritaient pas moins ».

Marcel Proust ne paraît pas loin de partager ces vues, mais il préfère que Charlus les exprime plutôt que le narrateur. De même, si le mot « boche » est banni de son vocabulaire, ce qui, dans cette période de l'histoire, présente un caractère exceptionnel, il prend soin de se couvrir d'une caution, et c'est cette fois Saint-Loup qui la lui fournit; au front, où il fait preuve d'un « courage héroïque », lui non plus ne dit jamais « boche ».

Comme Charlus, Proust ne s'aliène pas dans le chauvinisme ambiant. Sa tendance profonde le situe intellectuellement sinon à contre-courant, en tout cas en dehors, mais si fondée qu'elle soit en raison, il s'en trouve émotionnellement culpabilisé. Cal-

feutré dans sa chambre tapissée de liège, il craint
qu'on lui reproche de ne pas participer à la communion guerrière. Et ses origines peuvent le faire soupçonner, et l'amènent peut-être à se soupçonner, d'un
« internationalisme juif » rejoignant curieusement
l'esprit cosmopolite des Guermantes.

Il écrira quand même dans la *Recherche* avec une
rare clairvoyance : « Les mots de dreyfusard et d'anti-
dreyfusard n'avaient plus de sens (...) probablement
dans quelques siècles, et peut-être moins, celui de
boche n'aurait plus que la valeur de curiosité des
mots sans culotte ou chouan ou bleu ». Et à Barrès
qui « dès le début de la guerre (...) avait dit que l'artiste (...) doit avant tout servir la gloire de sa patrie »,
il répondra : l'artiste « ne peut la servir qu'en étant
artiste, c'est-à-dire qu'à condition (...) de ne pas penser à autre chose — fût-ce à la patrie — qu'à la vérité
qui est devant lui ». Dans un autre passage il
revendique de nouveau pour les créateurs le droit
d' « avoir peu égard à l'importance des événements »
qu'ils traversent : « un chant d'oiseau dans le parc
de Montboissier, ou une bise chargée de l'odeur de
réséda, sont évidemment des événements de moindre
conséquence que les plus grandes dates de la Révolu-
tion et de l'Empire. Ils ont cependant inspiré à
Chateaubriand, dans les *Mémoires d'Outre-tombe,*
des pages d'une valeur infiniment plus grande ».

Légitimant après coup son droit à s'abstraire de la
guerre pour mener jusqu'à son terme l'œuvre qu'il
porte en lui, Marcel Proust ne réagit pas moins avec
vivacité dès qu'on l'accuse d'en user. Dans un salon
parisien on affirme, à tort ou à raison, qu'il aurait
dit : « La guerre? Je n'ai pas encore eu le temps d'y
penser ». Dès qu'il a connaissance du propos qu'on
lui prête, il écrit à Lucien Daudet : « J'ai toutes les
raisons du monde, hélas! de n'avoir pas cessé une
minute de penser à la guerre depuis la veille de la

mobilisation où j'ai conduit mon frère à la gare de l'Est (...) Il est vrai que Boche ne figure pas dans mon vocabulaire, et que les choses ne me paraissent pas aussi claires qu'à certaines personnes, mais jamais je n'ai dit que cela ne m'intéressait pas, car c'est mon anxiété de tous les instants ». Le docteur Robert Proust a été mobilisé et envoyé dans les hôpitaux de première ligne, il y a été blessé, cité, décoré, il y a gagné des galons, il est retourné en première ligne. Il serait peut-être excessif de dire que Marcel Proust y trouve une sorte de caution patriotique, mais à lire les lettres qu'il écrit pendant la guerre, on est frappé de son insistance à parler avec fierté de la conduite de son frère.

Faute de verser lui-même son sang pour la patrie, il dépense de l'argent pour les soldats. L'argent lui fournit un biais grâce auquel il peut se joindre à l'élan de la francité. Ne pouvant être semblable à Saint-Loup, il se fera semblable à ces cafetiers, « cousins millionnaires de Françoise », « retirés depuis longtemps après fortune faite » : leur neveu, « tout petit cafetier sans fortune (...) parti à la mobilisation âgé de vingt-cinq ans avait laissé sa jeune femme seule pour tenir le petit bar qu'il croyait regagner quelques mois après. Il avait été tué. Et alors on avait vu ceci. Les cousins millionnaires de Françoise, et qui n'étaient rien à la jeune femme, veuve de leur neveu, avaient quitté la campagne où ils étaient retirés depuis dix ans et s'étaient remis cafetiers, sans vouloir toucher un sou ». Depuis près de trois ans, ils « rinçaient les verres et servaient des consommations depuis le matin jusqu'à 9 h 1/2 du soir, sans un jour de repos ». Proust termine ainsi : « Dans ce livre où il n'y a pas un seul fait qui ne soit fictif, où il n'y a pas un seul personnage " à clefs ", où tout a été inventé par moi (...),

je dois dire à la louange de mon pays que seuls les
parents millionnaires de Françoise (...) sont des gens
réels, qui existent. Et persuadé que leur modestie
ne s'en offensera pas, pour la raison qu'ils ne liront
jamais ce livre, c'est avec un enfantin plaisir et une
profonde émotion que, ne pouvant citer les noms de
tant d'autres qui durent agir de même et par qui la
France a survécu, je transcris ici leur nom véritable :
ils s'appellent, d'un nom si français d'ailleurs, Larivière. S'il y a eu quelques vilains embusqués comme
l'impérieux jeune homme en smoking que j'avais vu
chez Jupien et dont la seule préoccupation était de
savoir s'il pourrait avoir Léon à 10 h 1/2 " parce
qu'il déjeunait en ville ", ils sont rachetés par la
foule innombrable de tous les Français de Saint-
André-des-Champs, par tous les soldats sublimes
auxquels j'égale les Larivière. »

On a l'impression que rien n'est feint, ni « tra-
vaillé » par le romancier, et que Proust, spontanément porté à l'exaltation et au lyrisme par une histoire qu'on lui a racontée et qui l'a ému, a ouvert
cette parenthèse, exceptionnelle dans la *Recherche,*
pour en parler au lecteur d'« homme à homme »,
en dehors du roman un instant interrompu.

Il existait bien des Larivière, parents de Céleste
Albaret qui a été, à partir d'août 1914, la seule
« Françoise » de Marcel Proust; ils étaient des cafetiers aisés, propriétaires d'un établissement important; Céleste les cite incidemment dans son livre de
souvenirs, mais sans la moindre allusion à ce qui en
est dit dans la *Recherche.* On peut présumer que
Proust a grossi ou délibérément imaginé l'histoire
que le narrateur dit tenir de sa servante. Le procédé
utilisé pour lui donner l'apparence d'un « vrai témoignage » serait destiné à assimiler aux vertus guer-
rières la générosité d'argent et l'acharnement au
travail : il lui importait de faire apparaître qu'il était

permis à de simples civils de l'arrière d'égaler par une autre voie que le sacrifice du sang « tous les soldats sublimes » partis se battre aux frontières [1].

1. Ce qui n'exclut nullement l'hypothèse de Proust étalant et occultant dans ce passage sa propre fréquentation pendant la guerre de la « maison de Jupien », et son identification sado-masochiste à « l'impérieux jeune homme en smoking ».

15

SPÉCULATEUR MALHEUREUX
— « JE SUIS RUINÉ »

Condamné par sa névrose à ne pas connaître d'amour paisible, il était à peu près inévitable que, symétriquement, Proust perdît de l'argent. Il n'y manqua pas. Nous l'avons vu, seul et hors du domicile familial, dramatiser dans ses lettres à sa mère une perte d'argent réelle ou fantasmée. Les pertes les plus lourdes viendront plus tard, après la mort de ses parents.

Marcel Proust spécule en Bourse, d'énormes sommes. Sans doute en attend-il de devenir richissime. Il y perd de façon systématique. Il faut lui rendre cette justice qu'il sait maintenant en parler avec humour. « Les caoutchoucs, les pétroles et le reste attendent toujours le lendemain de mes achats pour dégringoler ! », écrit-il à Mme Straus. Et un peu plus tard : « Ne trouvez-vous pas extrêmement comique qu'au moment où je fais une spéculation grandiose de plusieurs centaines de mille francs, l'Autriche déclare la guerre au Monténégro, et choisisse pour cela le 30 du mois, jour de la liquidation où il faut s'exécuter! » Mais il est pris dans un engrenage de pertes dont il a du mal à se dégager, et qui parfois semble l'affoler. Une lettre à M. Straus datée de juin 1914 nous renseigne sur l'importance des sommes englouties : « Les terribles spéculations financières dont je vous avais parlé et que je comptais arrêter à la première hausse, j'ai dû les continuer sans cesse. La Bourse ayant baissé sans discontinuer, chaque mois je paye près de trente ou quarante mille francs aux coulissiers et mon capital n'y résistera pas longtemps. »

En fait, son capital est trop solide pour ne pas résister. Proust se dit néanmoins ruiné, ce qui est excessif : « comme je suis ruiné je ne voudrais pas mettre plus de 1 000 à 1 500 francs » (dans un cadeau destiné à Calmette); « je n'ai plus le téléphone depuis ma ruine »; ses cadeaux aux soldats subissent eux-mêmes le contrecoup de ses pertes d'argent : « ici, écrit-il de Cabourg à Mme Catusse, (...) il y a des centaines de blessés auxquels je vais tous les jours porter des objets, dépensant ce qui me reste depuis ma ruine ». Dans la *Recherche* le narrateur connaît la même débâcle financière à la suite de spéculations malheureuses : « je (...) me trouvai tout d'un coup ne plus posséder que le cinquième à peine de ce que j'avais hérité de ma grand-mère » — mais, dramatisant moins que Marcel Proust, il admet que sa ruine n'est que « relative ».

On peut s'interroger sur les raisons qui poussent cet intellectuel à délaisser l'art et son œuvre le temps de se muer en agioteur. Il faut d'abord faire la part des données « objectives » qui tiennent au milieu social avec lequel il fait corps. Proust est à cet égard semblable à Claudel : le créateur n'efface pas le possédant. L'amour des cathédrales et de la littérature n'exclut pas une familiarité avec les titres de Bourse dans laquelle, du fait de la fortune de sa famille, il baigne depuis toujours. (La singularité du narrateur dans ce domaine sera seulement de savoir découvrir dans les illustrations et la composition graphique des « certificats d'action » un charme esthétique qui devait échapper aux actionnaires moins portés à l'imagination poétique.) Grand bourgeois de naissance, disposant d'un important patrimoine, Marcel Proust agit naturellement en grand bourgeois désireux de « faire fructifier » son capital. Sans doute, quand il rapporte dans la *Recherche* une conversation entre le père du narrateur et M. de Norpois sur le choix des placements en Bourse, enregistre-t-il avec malice le langage de M. de Norpois : « il n'hésita pas à féliciter mon père de la " composition " de son portefeuille, " d'un goût très sûr, très délicat, très fin ". » De même, au cours de ses propres discussions avec les agents de change, coulissiers, etc., dans ses lectures des rubriques financières des journaux, Marcel Proust devait s'amuser des métaphores inattendues en usage dans les milieux boursiers — et en cela il était bien Marcel Proust, littérateur perpétuellement attentif aux mots et merveilleux pasticheur — mais, quant au fond, il devait partager le souci du « bon placement » commun au père du narrateur, à M. de Norpois, et d'une manière générale à tous les possédants.

Sa propre équation personnelle n'a fait que surdéterminer l'inné (ou le rapidement acquis) dû à sa position sociale : elle est venue de surcroît, jouant surtout comme facteur d'échec. Chargeant l'argent de trop d'affects, mythifiant son rôle, Proust a constamment introduit sa névrose dans sa relation à l'argent; les pertes à la Bourse se sont inscrites dans la logique de son destin. C'est l'enrichissement attendu des spéculations qui l'aurait sans doute surpris. La princesse Bibesco rapporte un mot d'une tristesse résignée et enjouée qui est bien conforme à la nature de Marcel Proust : « il ne faisait que de mauvais placements d'argent, me disait-il; il voulait m'expliquer qu'au jeu, l'important c'est de perdre ».

Ce n'était plus l'essentiel. Les pertes d'argent les plus lourdes se situent entre 1912 et 1914, à une époque où il est bien engagé dans la *Recherche*. Faute de devoir être jamais soldat héroïque ou roi de la finance comme Charles Haas, au moins vient-il d'accéder à la voie royale qui permet de dépasser la juiverie : l'art.

IV

AU-DELÀ DE LA JUIVERIE

16

BERGOTTE AU-DESSUS DES « CÔTÉS »
— SWANN-JE — SWANN REJETÉ
— LE BLOND ROSE ET LE BRUN NOIR
ABOLIS DANS L'UNIFORMITÉ BLANCHE
— JOUISSANCE DE LA CRÉATION ARTISTIQUE
— ÊTRE AIMÉ

De l'existence d'une voie royale insoupçonnée jusque-là le narrateur aura la révélation le jour où il entendra Mme de Guermantes dire à propos de Bergotte : « c'est la seule personne que j'aie envie de connaître ». Découverte fulgurante qui révolutionne sa conception du monde : le soir de *Phèdre,* il avait pris soin d'éviter Bergotte, craignant que la présence de l'écrivain à ses côtés ne donne une « mauvaise idée » de lui à la duchesse.

Proust n'a pas connu le brusque bouleversement du narrateur : c'est sa propre maturation qui le fera lentement évoluer. A mesure qu'il avance en âge, que son œuvre prend corps et qu'il se confirme dans sa vocation d'écrivain, l'opposition entre le côté Weil et le côté Haas dont il avait fait plus ou moins consciemment l'un des thèmes des *Plaisirs et les Jours* et de *Jean Santeuil,* cette opposition qui avait tant marqué sa jeunesse cesse d'être dramatiquement ressentie. Devenant l'auteur de la *Recherche,* il a rejoint Bergotte dans la catégorie des créateurs que leur statut place ailleurs, au-dessus, ou plutôt au-delà, de tous les « côtés ». Charles Haas n'est plus le modèle inégalable et fascinant. Il peut être interpelé joyeusement : il a cessé d'inhiber l'ex-jeune homme devenu cet écrivain sans lequel il serait tombé dans l'oubli, et qui prend plaisir à présumer sans preuve qu'il devait jadis le considérer comme un « petit imbécile ». Charles Swann a succédé à Charles Haas. Swann est semblable à Haas, mais il en est aussi très différent.

Au regard de la position sociale, nous savons que Proust a exactement calqué Charles Swann sur Charles Haas : même juiverie prescrite grâce à une même fortune, à un même charme personnel, à un même passé militaire, même intégration exceptionnelle dans les milieux aristocratiques, même admission au Jockey, même intimité avec le prince de Galles et le comte de Paris. Mais dès que Swann se révèle tel qu'il est dans sa vérité, hors de sa façade mondaine, un être inattendu vient au jour, noué et malheureux, qui ressemble au narrateur comme un frère. De tous les personnages de la *Recherche,* Swann est celui que Proust a le plus intimement fécondé. Swann et le narrateur sont comme deux doublets : ils sont issus de la même racine.

Proust a pris soin de le faire sentir dès les premières pages. Swann apparaît; pour le narrateur enfant il est l'ennemi, au moins l'indésirable, dont la visite l'angoisse parce qu'elle va le priver du baiser de sa mère — un ennemi ou un indésirable indifférent au drame qu'il provoque : « l'angoisse que je venais d'éprouver, je pensais que Swann s'en serait bien moqué ». Mais non, Proust tient à montrer aussitôt l'autre face de Swann que dissimule la légèreté du clubman désinvolte et discret. Swann est en fait un compagnon de détresse. La phrase se termine ainsi : « or, au contraire, comme je l'ai appris plus tard, une angoisse semblable fut le tourment de longues années de sa vie, et personne aussi bien que lui peut-être n'aurait pu me comprendre ».

Le destin de Swann est esquissé dès l'orée du roman : il va répéter l'expérience de la déréliction vécue par le narrateur. Quelle que soit la distance qui les sépare, malgré la différence d'âge et de situation sociale, ils sont de la même espèce. Ils seront amoureux de la même manière de femmes qui ne leur plaisent pas, jaloux de la même manière, d'autant plus enchaînés à leur amour qu'il semblera leur échapper, attachés non aux êtres qu'ils croient aimer, mais à une « *cosa mentale* », à des fantômes nés de leur imagination qui s'évanouissent dès qu'ils croient les atteindre — l'un et l'autre tourmentés, nerveux, inaptes au bonheur.

Proust était homosexuel. Pas le narrateur, ni Swann — et leur « normalité » insoupçonnable contribue à en faire, parmi tous les personnages de la *Recherche,* des êtres à part, semblables dans leur commune singularité, même si le biais gomorrhéen d'Odette et d'Albertine peut involontairement trahir leur auteur.

L'homosexualité de Proust s'accompagnait de goûts pervers ignorés de tous hormis quelques complices, qui le faisaient dans ces moments plus proche du marquis de Sade que du chaste narrateur. Si l'on veut trouver dans la *Recherche* une « projection » de ce qu'il était dans ce domaine, c'est vers Charlus qu'il faut se tourner, et surtout vers la fille de Vinteuil, homosexuelle prenant plaisir à accompagner ses jeux érotiques de gestes profanatoires.

Le narrateur s'en dit horrifié, mais il sait lui manifester une compassion généreuse : « Elle devait bien se rendre compte, me disais-je, au moment où elle profanait avec son amie la photographie de son père, que tout cela n'était que maladif, de la folie (...) " Ce n'était pas moi, dut-elle se dire, j'étais aliénée. " » Plaidant pour Mlle Vinteuil, Proust plaide évidemment pour lui-même. Il plaidera dans les mêmes termes pour Charlus : dès que « ses sens étaient apaisés (...) le sadique (...) qui s'était substitué pendant quelques instants à M. de Charlus avait fui et rendu la parole au vrai M. de Charlus, plein de raffinement artistique, de sensibilité, de bonté ». Le narrateur et Swann sont l'un et l'autre étrangers à pareilles dépravations, mais, en marge de toute perversion, l'amour de Swann pour Odette si comparable à l'amour du narrateur pour Albertine donne à Proust l'occasion de développer l'idée de l'irresponsabilité de l'amoureux, de son irresponsabilité totale, qui l'exonère entièrement de ses actes — ce que les juristes appellent l'excuse absolutoire. Voici Swann errant dans la nuit, hagard, à la recherche d'Odette : « Il n'était plus le même, (...) il n'était plus seul (...) un être nouveau était là avec lui, adhérant, amalgamé à lui, duquel il ne pourrait peut-être pas se débarrasser, avec qui il allait être obligé d'user de ménagements comme avec un maître ou une maladie. » Swann est « comme un morphinomane ou un tuberculeux ». Il est victime du « chimisme » de son mal. Entre son « aliénation » et celle de Mlle Vinteuil ou de Charlus, il n'y a pas de différence de nature. L'amour de Swann pour Odette, la « folie » qu'il sécrète est comme une reproduction pâlie où se discerne cette autre « folie » infiniment plus culpabilisante qui s'empare de Proust ses jours de débauche. Celle-ci restera tue. Celle-là peut être montrée; son pardon vaudra pour toutes les « folies » du même ordre.

Proust était juif ou demi-juif. Le narrateur ne le sera pas, pas plus, et pour les mêmes raisons, qu'il ne pouvait être homosexuel ou pervers. Swann héritera une juiverie que Proust ne pouvait assumer lui-même — mais, grâce à l'exemple de Charles Haas, il sera juif d'une juiverie adoucie, supportable, déjà amnistiée quand débute la *Recherche*. Il se peut que Proust ait été effleuré par l'idée d'aller plus loin, jusqu'à faire de Swann un faux juif : on dit parfois que sa « grand-mère, protestante mariée à un juif, avait été la maîtresse du duc de Berri », et que « Swann, fils d'un catholique, fils lui-même d'un Bourbon et d'une catholique n'avait rien que de chrétien ». Il serait du même coup bien plus que non-juif : parent, et non plus seulement ami, du comte de Paris. A peine s'en est-il fait l'écho, le narrateur précise qu'il ne s'agit en fait que d'une « légende ». Que Proust l'ait imaginée même pour la démentir aussitôt est peut-être le signe qu'elle était dotée pour lui d'un pouvoir d'éveil : Swann aurait réédité en l'amplifiant le parrainage royal dont avait bénéficié Jean Santeuil. Un autre « roman familial », plus flou encore, semble amorcé malgré les déplacements à propos du narrateur lui-même : Bloch n'affirme-t-il pas « avoir entendu dire de la façon la plus certaine » que sa grand'tante a eu jadis une « jeunesse orageuse »? Mais il était nécessaire que les rêveries ainsi esquissées fussent interrompues : si elles pouvaient encore avoir leur place dans *Jean Santeuil,* elles eussent dissoné dans la *Recherche*.

Marcel Proust souffrait d'asthme. Swann souffrira d'eczéma — nous l'apprenons en incidente. Deux maladies de nerveux qui contribuent à les lier dans une même confraternité. De l'eczéma de Swann, Proust précise qu'il est un eczéma « ethnique ». Ne nous épargnant aucun détail il ajoute dans la même incidente que Swann est également sujet à la « constipa-

tion des Prophètes » (à laquelle, si l'on en juge par
ses lettres à sa mère, lui-même n'échappait pas toujours). Notations curieuses, médicalement peu fondées, qui seraient seulement facétieuses ou qui paraî-
traient gratuites si elles ne laissaient entrevoir une
autre confraternité : celle qui unirait dans la même
parentèle le juif (eczémateux et constipé) et l'aban-
donnique (asthmatique). La « race maudite » des
juifs était déjà assimilable à cette autre « race maudite » que constituent les sodomites. Le cercle de
famille pourrait s'élargir à l'ensemble des exclus.
L'inattendue judaïsation de l'eczéma de Swann serait
alors une paradoxale redondance appelée à souligner le profond apparentement de Proust avec les
deux personnages qui le « représentent » dans le
roman, dont l'un a été voulu juif, l'autre précaution-
neusement tenu à l'écart de toute juiverie.

Interrogé en 1918 par Jacques de Lacretelle sur les
« sources » de son roman dont seul *Du Côté de chez
Swann* avait été publié, Marcel Proust répond en anti-
cipant sur ce qu'il écrira à plusieurs reprises dans la
suite de la *Recherche* : « Il n'y a pas de clefs pour les
personnages de ce livre; ou bien il y en a huit ou dix
pour un seul ». Il dira dans le même texte : « la réalité se reproduit par division comme les infusoires
aussi bien que par amalgame ». Swann peut aisément
se décoder : si Charles Haas a fourni son image,
l'âme est de Proust lui-même, et elle fait de Swann
un autre « je ». D'où la nécessité de cet infléchisse-
ment qui éloigne Swann de son modèle primitif.
A l'origine Swann « qui s'était donné du mal pour
être reçu au Jockey » comptait sur « un éclatant
mariage qui eût achevé, en consolidant sa situation,
de faire de lui un des hommes les plus en vue de
Paris ». Au lieu de cela, qui eût surtout achevé d'en
faire la réplique exacte de Charles Haas, Proust l'a

marié avec Odette. Il fallait cette mésalliance, à quoi
rien hormis sa névrose ne l'obligeait, avec une femme
qui n'était pas son genre et qui en outre l'humiliait,
et l'inévitable discrédit qu'elle allait entraîner, pour
que Swann s'émancipe de la souche Charles Haas,
et rejoigne Marcel Proust dans son malheur de proscrit.

Encore faut-il nuancer. L'avant-veille de la parution de *Swann* en librairie, Proust expliquait ainsi
sa « conception du roman » : « Vous savez qu'il y a
une géométrie plane et une géométrie dans l'espace.
Eh bien, pour moi, le roman ce n'est pas seulement
de la psychologie plane, mais de la psychologie dans
le temps. » Le propos vaut aussi pour le narrateur,
et pour le rapport que le romancier entretient avec
ses personnages — avec Swann en particulier.

Dans un premier temps, Swann achève ce qui était
seulement esquissé chez ses prédécesseurs, Baldassare
Silvande, M. d'Utraine et Antoine Desroches. Pour le
narrateur enfant ou adolescent, il est un modèle qui
l'éblouit : « pour tâcher de lui ressembler, je passais
tout mon temps à table à me tirer sur le nez et à me
frotter les yeux (...) J'aurais surtout voulu être aussi
chauve que Swann ». Le nom de Swann lui est devenu
« presque mythologique ». Son élégance, sa bril-
lance, sa désinvolture étriquent un peu plus le vrai
père, économe, raisonnable et gris, qui, naturellement, n'aime ni ne comprend Swann, « vulgaire
esbroufeur » à ses yeux, et sans doute, dans le rêve
de filiation du narrateur, Swann est-il vécu autant
comme mère que comme père. Amoureux de Gilberte, le narrateur l'est davantage de Swann lui-
même : il lui arrive d'éprouver pour lui « une tendresse plus profonde » que pour sa fille. Son amour
d'enfant pour Gilberte aura eu sinon pour but au
moins pour conséquence de le faire admettre chez les
Swann où on le prend parfois « pour quelque neveu

de la maîtresse de maison ». Toute cette partie de la *Recherche* répète l'histoire ébauchée de Jean Santeuil avec les Réveillon, à cette importante nuance près que l'homologue du duc et de la duchesse est ici un Juif. En maintenant la juiverie de Swann, Proust arrive enfin à croire à la possibilité de métamorphose du Juif qu'il déniait avec tant d'aveuglement à l'époque où il était présenté à Charles Haas, et en investissant Swann d'une part de lui-même, il fait un peu sienne la gloire de son héros.

Mais quand il se met à la *Recherche* Marcel Proust a dépassé le stade où il en était encore au temps de *Jean Santeuil* : son rêve n'est plus de réussite mondaine. Jean Santeuil attachait son âme à cette marche à l'ascension sociale dont la scène de l'Opéra représentait le sommet. A l'imaginer ainsi, Proust devait en tirer pour lui-même un plaisir narcissique égal à celui de son *alter ego*. Dans la *Recherche* les efforts du narrateur pour pénétrer le milieu Guermantes sont relatés avec beaucoup plus de distance : rien ne nous est caché de sa gaucherie dans le monde, une ironie discrète a été introduite, que l'on ne trouvait guère quand Jean Santeuil, toujours à l'aise comme un fils de roi, occupait le devant de la scène. D'un roman à l'autre, d'un roman inachevé qu'il a senti confusément fruste et maladroit à un roman en cours d'écriture qu'il savait devoir être pleinement son grand œuvre, Proust a connu une mutation; son modèle intérieur n'est plus le même. L'important, désormais, n'est plus de paraître, mais d'être — d'être comme Bergotte, que le narrateur admire, qu'il place si haut, et dont il se découvre si proche quand, retrouvant dans ses livres ses propres pensées, il pleure « de confiance et de joie (...) sur les pages de l'écrivain comme dans les bras d'un père retrouvé ».

Jean Santeuil devait à l'amour maternel-paternel de la duchesse de Réveillon de partager l'avant-scène du roi de Portugal. Nouvel ange tutélaire, Swann installera d'emblée le narrateur parmi les familiers de son ami Bergotte, « comme un roi » qui « se trouve naturellement inviter les amis de ses enfants dans la loge royale ». C'est encore grâce à Swann que le narrateur ira à Balbec, où Mme de Villeparisis lui fera connaître Saint-Loup et Charlus, qui à leur tour lui permettront de faire la connaissance de la duchesse de Guermantes, qui elle-même l'introduira auprès de la princesse de Guermantes. « En somme, se dit le narrateur dans les dernières pages de la *Recherche,* si j'y réfléchissais, la matière de mon expérience, laquelle serait la matière de mon livre, me venait de Swann. » Si Swann n'est pas le père de la *Recherche* au moins en aura-t-il été indirectement le géniteur. Mais à partir du moment où le « je » du narrateur rejoint Marcel Proust pour devenir cet écrivain, son destin diverge d'avec Swann : une faille apparaît, qui ne fera que s'élargir.

Swann a lui-même le goût de l'art, mais comme Antoine Desroches, non comme Elstir ou Bergotte. Amateur, connaisseur, il gaspillera « dans les plaisirs frivoles les dons de son esprit », se limitant à faire « servir son érudition en matière d'art à conseiller les dames de la société dans leurs achats de tableaux et pour l'ameublement de leurs hôtels ». Causeur raffiné, il est condamné à rester ce causeur : il s'est arrêté à un « stade situé en-deçà de l'art ». S'il a été authentiquement ému par la petite phrase de la sonate de Vinteuil, il n'ira pas au-delà de cette émotion passagère, réduite à l'allégresse de « l'air national » de son amour, puis au souvenir mélancolique de l'amour perdu. « Ce bonheur proposé par la petite phrase de la sonate », Swann « s'était trompé en l'assimilant au plaisir de l'amour et n'avait su le trouver dans la création artistique ». Il restera parmi ceux qui « s'en tiennent là », « qui n'extraient rien de leur impression, vieillissent inutiles et insatisfaits, comme des célibataires de l'Art! ». Enfermé dans les plaisirs artificiels dispensés par le monde sans songer à s'en échapper, il ne sera jamais un créateur.

La démarche de Marcel Proust est à l'opposé. Au moment où, à peine sorti de l'adolescence, il donne l'impression de mettre la mondanité à la première place de ses préoccupations, il est hanté par l'effet stérilisateur de la vie mondaine. Le thème en reviendra fréquemment dans son œuvre, mais jamais de manière aussi pathétique que dans cette pièce qu'il écrit à vingt et un ans pour *Le Banquet*, *Violante ou la mondanité*, car, sous le couvert de Violante, c'est de lui-même qu'il parle, c'est lui-même qui se parle. Violante est une jeune fille de l'aristocratie, que ses goûts portent vers la musique, la réflexion, la solitude de son château campagnard. Mais, blessée dans son amour et surtout dans son amour-propre de « s'être vu préférer tant de femmes qui ne la valaient pas », elle décide de modifier provisoirement son mode d'existence et de se rendre « près de la Cour d'Autriche ». Elle y trouve ce qu'elle était venue chercher : « les personnes du monde sont si médiocres que Violante n'eut qu'à daigner se mêler à elles pour les éclipser presque toutes »; ·elle conquiert vite une « véritable royauté ». Son projet, quand elle était partie, était de s'arrêter « sur cette pente ». Elle ne le pourra plus : ses « besoins profonds d'imaginer, de créer, de vivre seule et par la pensée (...) s'étaient trop émoussés, n'étaient plus assez impérieux pour la faire changer de vie, pour la forcer à renoncer au monde et à réaliser sa véritable destinée ». Violante se perdra comme Swann, et comme, en ce début de sa vie adulte, Marcel Proust craint de se perdre lui-même.

Malgré le « manque de volonté » qu'il a en commun avec Violante, lui saura ne pas se laisser entraîner. *Jean Santeuil* était pour une part un compromis entre les aspirations mondaines et l'appel de la création. Dès que Marcel Proust entreprend la *Recherche,* il cesse de fréquenter les salons et abandonne toute vie mondaine — et ce n'est pas seulement en raison des nécessités de son travail.

L'évolution du narrateur dans le roman est comparable à celle de Marcel Proust dans la vie. Quand le narrateur écoute à son tour la musique de Vinteuil, il sait en saisir le sens profond qui avait échappé à Swann. Le septuor de Vinteuil est bien reçu comme une invitation à s'élever au-dessus du monde. Il lui apporte une « joie ineffable » qui, à défaut de pouvoir être exprimée, est porteuse d'exaltation féconde : grâce au septuor « avait pu venir jusqu'à moi l'étrange appel que je ne cesserais plus jamais d'entendre comme la promesse qu'il existait autre chose, réalisable par l'art sans doute, que le néant que j'avais trouvé dans tous les plaisirs et dans l'amour même, et que si ma vie me semblait si vaine, du moins n'avait-elle pas tout accompli ».

Swann lui renvoie désormais une image dépassée de lui-même. Le temps a altéré l'amalgame qui faisait de Swann un mixte de Charles Haas et de « je ». Il y a maintenant dans « je » de moins en moins de Swann et de plus en plus de Bergotte, d'Elstir et de Vinteuil, et ce qui reste de Swann va bientôt être renié.

Ce rejet s'exprime dans le sort même qui va être réservé à Swann dans le roman, comme si Proust s'acharnait à détruire son ancien moi qui en avait fait son modèle. On devine que Swann est en train de représenter pour lui ce que Ski est pour Elstir : sculpteur sans vrai talent quoi qu'en dise Mme Verdurin, Ski n'a avec Elstir que des « ressemblances purement extérieures ». « Elles suffisaient pour qu'Elstir (...) eût pour lui la répulsion profonde que nous inspirent, plus encore que les êtres tout à fait opposés à nous, ceux qui nous ressemblent en moins bien, en qui s'étale ce que nous avons de moins bon, les défauts dont nous nous sommes guéris, nous rappelant fâcheusement ce que nous avons pu paraître à certains avant que nous fussions ce que nous sommes. »

Swann a beau avoir, du temps de sa splendeur, surmonté la tare originelle de sa juiverie, à un point tel qu'on le dit de sang non pas juif mais royal, Proust lui interdit d'échapper à son destin : s'autoproscrivant par son mariage, victime d'un autre bannissement au cours de l'affaire Dreyfus, rongé par la maladie, retrouvant une juiverie qui revient, inattendue et inéluctable, reprendre possession de son visage doré d'aristocrate, « bête fatiguée » rentrant au « bercail religieux de ses pères », définitivement forclos après sa mort — scotomisé par sa tendre amie la duchesse de Guermantes qui pendant vingt-cinq ans l'avait reçu tous les jours avec tant de plaisir et qui maintenant s'interdit de prononcer son nom, renié par sa fille qui s'essaie à dissimuler l'identité d'un père dont elle a honte et qui avant même de se marier cesse de porter son nom — le « cher Swann » qui avait connu tant d'honneurs et tant de gloire devient, de chute en chute, d'abord le « pauvre Swann », puis, après sa double mort, l'innommable, l'inexistant, l'anéanti.

Le narrateur pourrait aisément occuper la place laissée vide et se hausser jusqu'à cet état de presque Guermantes que Swann avait connu jadis : il reçoit un jour une « lettre de déclaration d'une nièce de Mme de Guermantes qui passait pour la plus jolie jeune fille de Paris » et le duc de Guermantes va jusqu'à faire une démarche auprès de lui « de la part des

parents résignés pour le bonheur de leur fille à l'iné-
galité du parti, à une semblable mésalliance ». Jean
Santeuil s'en fût enchanté. Pas le narrateur, et si les
raisons qu'il invoque sont son amour pour Albertine
et la douleur où vient de le laisser sa fuite, on peut
présumer que même en d'autres circonstances il eût
décliné l'extraordinaire proposition.

Les « côtés » ont en effet perdu leur pouvoir émotionnel autre qu'esthétique pour devenir objets de
roman. Au reste, à la fin de la *Recherche* il n'y a plus
de « côtés ». A mesure que s'écoule le Temps, les
ghettos vont peu à peu s'étendre — jusqu'à dispa-
raître : tous les personnages, ou presque, et les plus
inattendus, se révèlent homosexuels, tandis que,
parallèlement, la rencontre du « côté Swann » et du
« côté Guermantes » marque la dissolution du Juif
comme être-à-part. La topographie fantasmatique
qui semblait fonder la *Recherche* s'en trouve boule-
versée : étant partout, Sodome n'est plus nulle part,
Saint-André-des-Champs et Jérusalem entrent en
symbiose, la francité et la juiverie se compénètrent.
Il n'y a plus, il ne peut plus y avoir de « races mau-
dites ». Le rose doré, apanage éclatant d'une aristocratie inapprochable, et le brun noir, triste marquage
réservé aux Juifs, s'abolissent dans cette même uniformité blanche qui frappera le narrateur au cours
de la dernière matinée chez la princesse de Guermantes. La princesse n'est d'ailleurs plus la grande
dame intimidante et féérique, de naissance royale,
dont la présence lointaine dans sa baignoire de
l'Opéra suffisait jadis à le faire rêver : son titre est
maintenant échu à Mme Verdurin, la « patronne »
au nez goménolé, que l'on peut même soupçonner
d'avoir des origines juives. Bloch s'est métamorphosé,
un mystère a fait que son nez donne l'impression
d'avoir été raboté, le crespelage de ses cheveux a disparu pour céder la place à une coiffure bien à plat, rien

ne détonne dans le chic anglais dans lequel il a su parfaitement se mouler. Il ne s'appelle même plus Bloch;
il porte un nom à particule et, suprême raffinement,
un monocle qui a achevé de tout gommer. Au regard
de ce grand aplanisseur qu'est le Temps, le triomphe
passé de Swann sur la juiverie paraît bien dérisoire.
Swann a disparu, mais sa fille qu'il a été si désespéré
de son vivant de ne pouvoir même pas présenter à
la duchesse de Guermantes est devenue marquise
de Saint-Loup, elle sera duchesse de Guermantes.
« Crois-tu tout de même, me dit ma mère, si le père
Swann (...) avait pu penser qu'il aurait un jour un
arrière-petit-fils ou une arrière-petite-fille où cou-
leraient confondus le sang de la mère Moser qui disait
" Ponchour Mezieurs " et le sang du duc de Guise! »
C'en est fini de la différence, comme dans le portrait
de Miss Sacripant dont la grâce d'Elstir a fait un fan-
tastique appariement de fille et de garçon. Il est
réservé à l'artiste de pouvoir accomplir pareils
miracles, reflet de sa propre métamorphose qui a
fait un créateur d'un jeune homme banalement ambitieux, et ce double accomplissement lui est extraor-
dinairement gratifiant.

Dès lors qu'il s'engage dans son œuvre, le romancier appartient à deux mondes distincts : le monde
tel qu'il est, commun à tous, et l'autre, qui lui est
propre, qu'il recrée à partir du premier. Il s'y recrée
lui-même tout autant : à mesure qu'il s'y enracine, il
vit l'autre vie, cette vraie vie qu'est la littérature, qui
lui fait connaître une allégresse sans pareille. Un mot
revient sous sa plume quand il est question de Bergotte, Vinteuil ou Elstir : le mot « joie ». Cette joie
dont il parle d'expérience est une joie singulière, que
l'on sent vécue au plus haut degré de l'intensité; elle
est inséparable de la grâce, et, à ce titre, elle n'est
réductible à aucune autre — sauf à celle, d'un autre
ordre mais également sublime, que connut Pascal

la nuit bouleversante où il ne saura qu'écrire : « joie, joie, joie, pleurs de joie ». Nourrissant son œuvre de son vécu et de ses rêves, les dépassant et se dépassant lui-même dans son œuvre, Proust établit avec l'écriture un rapport intime de jouissance qui sera sa source de vie jusqu'au terme de la *Recherche,* après quoi, la *Recherche* achevée, il mourra, laissant ses paperolles à découvrir, comme Vinteuil ses « indéchiffrables notations », et sachant que la fin de son œuvre lui donnerait sa grandeur véritable.

Les bonheurs les plus attendus s'évanouissent dès qu'ils deviennent accessibles : écouter la Berma dans *Phèdre,* voir la duchesse de Guermantes à Combray, visiter l'église de Balbec, être présenté aux jeunes filles de la petite bande, embrasser les joues d'Albertine, mille autres plaisirs si longtemps espérés et finalement reçus s'achevaient régulièrement dans une même déception interchangeable, comme s'il existait un manque que l'on ne pouvait jamais combler. Pas la joie de la création artistique, qui se renouvelle en permanence, et dont la plénitude reste inépuisable. Parce qu'il ne cesse de s'en émerveiller, Proust fera du narrateur, par un de ces artifices de coquetterie que permet aussi l'écriture, un écrivain en puissance qui tout le long de la *Recherche* souhaite se mettre à l'ouvrage, mais qui doute de ses dispositions, se décourage et, sans l'éblouissement de la fin, se résignerait à renoncer.

Auprès de cette indicible jouissance, les plaisirs du siècle paraissent bien affadis. Qu'importe désormais la réussite mondaine? Qu'importe la juiverie? Bergotte, Vinteuil ou Elstir eussent pu, tout aussi bien, être juifs. Peut-être la juiverie est-elle même un adjuvant de la création? « On est obligé de se féliciter, lit-on dans la *Recherche,* que les grands écrivains aient été tenus à distance par les hommes et trahis par les femmes quand leurs humiliations et leurs souffrances ont été, sinon l'aiguillon de leur génie, du moins la matière de leurs œuvres ».

Et puis, malgré les contraintes de solitude à quoi il oblige, l'art permet, mieux que la fréquentation du monde, de gagner l'amour des autres.

Au regard de sa capacité à être aimé, Marcel Proust en train d'écrire dans la solitude de sa chambre n'a rien à envier à Jean Santeuil gagnant l'intimité des Réveillon et du roi de Portugal. Certes, le plaisir de Jean (et de Proust) dans cette consécration allait au-delà de la vanité tirée d'un prestigieux voisinage : si le roi était roi, et la duchesse de Réveillon duchesse, Proust avait fait d'eux tout autant des êtres qui proté-geaient Jean, qui l'aimaient, le choyaient, le gâtaient. S'isolant pour devenir l'auteur de la *Recherche,* Proust renonce à la vanité immédiate, il ne renonce pas à l'amour des autres : il sait que son œuvre conçue loin du monde le lui apportera. Elstir vit lui aussi dans l'isolement, « et sans doute, les premiers temps, avait-il pensé, dans la solitude même, avec plaisir, que, par le moyen de ses œuvres, il s'adressait à dis-tance, il donnait une plus haute idée de lui, à ceux qui l'avaient méconnu ou froissé. Peut-être alors (...) destinait-il son œuvre à certains, comme un retour vers eux où, sans le revoir lui-même, on l'aimerait, on l'admirerait, on s'entretiendrait de lui ». Proust était trop porté par son œuvre pour que son projet se réduisît à semblable calcul d'amour, mais cette perspective, bénéfice secondaire de la création, devait en multiplier la jouissance.

Marcel Proust ne fût pas resté indifférent s'il avait appris qu'après sa mort, très vite, il serait considéré comme l'égal des plus grands, de tous les pays et de tous les temps. Il eût été plus ému encore de pres-sentir qu'il serait aimé avec tant de passion.

SOURCES BIBLIOGRAPHIQUES

I. Abréviations utilisées

Œuvres de Marcel Proust

R I, II, III	*A la Recherche du Temps Perdu,* Édition de Pierre Clarac et André Ferré, 3 vol., Bibliothèque de la Pléiade, Gallimard, 1954.
J. S. : IV	*Jean Santeuil,* Édition de Pierre Clarac, Bibliothèque de la Pléiade, Gallimard, 1971.
P. J. : IV	*Les Plaisirs et les Jours,* Édition de Yves Sandre, Bibliothèque de la Pléiade, Gallimard, 1971.
C S B : V	*Contre Sainte-Beuve,* Édition de Pierre Clarac, Bibliothèque de la Pléiade, Gallimard, 1971.
C S B Fal	*Contre Sainte-Beuve* suivi de *Nouveaux Mélanges,* Édition de Bernard de Fallois, Gallimard, 1954.
E A : V	*Essais et articles,* Édition de Pierre Clarac et Yves Sandre, Bibliothèque de la Pléiade, Gallimard, 1971.
Tx R	*Textes retrouvés,* Édition de Philip Kolb et Larkin B. Price, The University of Illinois Press, 1968.

Correspondance et témoignages

	Pour la correspondance antérieure à 1904, nous nous sommes référé à :
C G K I, II, III	*Correspondance de Marcel Proust,* Édition de Philip Kolb (1880-1895; 1896-1901; 1902-1903), Plon, 1970, 1976 et 1977.

	Pour *C G K* I, nous nous reportons à l'édition de 1976.
	Pour la correspondance postérieure à 1903 nous nous sommes référé à :
C G I à VI	*Correspondance générale,* 6 vol., Plon, 1930-1936.
	Et en outre à :
Bibesco	Princesse Bibesco : *Au bal avec Marcel Proust,* Gallimard, 1928.
Catusse	Marcel Proust : *Lettres à Mme C.* Préface de Lucien Daudet, J.-B. Janin, 1946.
Daudet	Lucien Daudet : *Autour de soixante lettres de Marcel Proust,* Gallimard, 1929.
Gregh	Fernand Gregh : *Mon Amitié avec Marcel Proust. Souvenirs et Lettres Inédites,* Grasset, 1958.
Hommage	*Hommage à Marcel Proust,* numéro spécial de la *Nouvelle Revue Française,* Gallimard, 1923.
Mère	Marcel Proust : *Correspondance avec sa mère,* Lettres inédites présentées et commentées par Ph. Kolb, Plon, 1953.
nrf	Marcel Proust : *Lettres à la nrf,* Gallimard, 1932.
	Dans tous les cas, nous avons utilisé, pour la datation des lettres, le travail fondamental de Philip Kolb : *La correspondance de Marcel Proust, chronologie et commentaire critique,* The University of Illinois Press, 1949.

II. Références des citations

Pages

8	« Chaque lecteur est, quand il lit »... *R* III, 911.
(11)	Certificat de baptême *Daudet,* 38.
12	Dîner chez Mme Daudet *C G K* I, 443-444 (15 novembre 1895).
14	Lettre à Montesquiou sur les Juifs *C G K* II, 66 (19 mai 1896).
	Judaïsme de Mme Proust *C G* II, 106.
(15)	Témoignages sur l'aspect physique de Marcel Proust :
	Fernand Gregh *Hommage,* 41.
	Jacques-Émile Blanche *Hommage,* 53.
	Paul Desjardins *Hommage,* 146.
	Léon-Paul Fargue *Hommage,* 86.

Comtesse de Noailles *C G* II, 12.
Princesse Bibesco *Bibesco,* 113.
Lucien Daudet *Daudet,* 24.
Fernand Gregh *Gregh,* 154-155.

16 Physique de Bloch *R* I, 774; II, 952; II, 880.
Sa ressemblance avec le Mohamet II de Bellini *R* I, 97.
Réaction d'Albertine *R* II, 880.
Nez de Marcel Proust *Hommage,* 41-42.

17 Nez de la duchesse de Guermantes *R* II, 53 et 62.
...« sans aucun rapport avec le busqué juif » *C S B Fal* 270.
Albertine, cette brune... *R* I, 795.
Petite phrase de Vinteuil *R* I, 352.
Voix de la Berma *R* I, 441.

18 Saint - André - des - Champs « dorée comme une meule » *R* I, 184.
Beauté française *R* II, 408.

19 Blondeur du petit Jean *J S :* IV, 204.
Portrait de Jean par La Gandara *J S :* IV, 675.

20 Le narrateur décrit par Céleste Albaret et sa sœur, *R* II, 846-848.
Leur xénophobie *R* II, 849.

(21) *Marcel Proust par lui-même E A :* V, 336.

22 Le baiser du soir *J S :* IV, 206.
Mme Santeuil « méchante créature » *J S :* IV, 214.
Internement à Henri IV *J S :* IV, 236.

23 Querelle de Jean avec ses parents *J S :* IV, 414-417.
Bien-être de Jean chez les Réveillon *J S :* IV, 508.
Tendresse des Réveillon pour Jean *J S :* IV, 507.

24 Maison-prison *J S :* IV, 502.
Dîner chez Mme Marmet *J S :* IV, 668-669 et 673.

25 Première de *Frédégonde* à l'Opéra *J S :* IV, 679-682.

29 Mme Santeuil antisémite *J S :* IV, 581.
(30) « Supportez d'être appelée une nerveuse »... *R* II, 305.

31 La « tristesse » de Jean *J S :* IV, 211.

83   Hommage à Léon Daudet *E A* : V, 603.
84   « Je suis malade d'un article de Léon Daudet »... *C G* VI, 58 (1906).
      La duchesse de Réveillon ne recevra jamais de juifs *J S* : IV, 706.
85   Picquart philosophe *J S* : IV, 632 et 641.
86   M. Darlu et M. Boutroux héros de Proust dans la vie réelle *E A* : V, 337.
      Hommage à M. Darlu *J S* : IV, 267 (M. Beulier) et *P J* : IV, 8.
      Présence de M. Boutroux *J S* : IV, 651.
      Amitié de Picquart et du philosophe Dentier *J S* : IV, 637-643.
      Le professeur de philosophie « plus que mal habillé »... *J S* : IV, 269.
87   ...« en sortant du Louvre où je venais de voir les cavaliers »... Dédicace à Jean-Louis Vaudoyer, *C G* IV, 89.
      Témoignage de Robert de Billy *Hommage,* 33.
88   « Des cavaliers sont prêts »... *P J* : IV, 80.
      Jean et le duc de Richmond *J S* : IV, 728.
      Répulsion pour le cheval *J S* : IV, 731.
      Duels du narrateur pendant l'affaire Dreyfus *R* II, 608.
90   « Tête blonde un peu rousse »... *J S* : IV, 636.
(91) Proust et Jaurès cf *C G K* II, 181-182 et 259.
      Débat parlementaire *J S* : IV, 600-604.
93   Note de M. Pierre Clarac *J S* : IV, 1057.
(94) La comtesse de Noailles et la deuxième condamnation de Dreyfus *C G K* II, 304.
95   La vicomtesse de Réveillon *J S* : IV, 524.
      François Durieu, prince de Borodino *J S* : IV, 542.
      ...« bolchevisants et valseurs » *R* II, 400.
      Saint-Loup regrette bien... *R* II, 698.
      Rachel compatriote du sieur Dreyfus *R* II, 236-237.
96   Le prince de Guermantes et Swann *R* II, 655-656.
      Le duc de Guermantes et Swann *R* II, 677-678.
      Le Prince et Dreyfus *R* II, 709-711.
98   « Diverses théories littéraires (...) m'avaient un moment troublé »... *R* III, 881.

(103)   Sir Rufus Israëls *R* I, 518 et II, 218.

104   Aristocratisme de Swann *R* I, 342 et 344.
            Vanité des études... *R* III, 908 et 900.
            « Cher Charles Swann »... *R* III, 200.

105   Circonstances de l'admission de Charles Haas
            au Jockey : d'après Louis de Beauchamp,
            Marcel Proust et le Jockey-club, Émile-Paul,
            1973.

106   Lettre à Mme de Brantes *C G K* II, 214 (sep-
            tembre 1897).

107   Aimery de la Rochefoucauld *E A :* V, 436 et
            Tx R 38 et 40.

108   « Œuvre de jeunesse »... Lettre à Gaston Gal-
            limard, *nrf,* 173 (Septembre [?] 1921).
            « Un livre mieux écrit ou moins mal »... Lettre
            à Walter Berry, *C G* V, 38 (16 janvier 1918).

109   « médiocrité de l'ouvrage »... Lettre à Robert
            de Billy, *C G K* I, 247 (5 novembre 1893).
            Baldassare Silvande *P J :* IV, 9, 18-19 et 10.

110   *Sentiments filiaux d'un parricide E A :* V, 150-
            159 (*Le Figaro,* 1er février 1907).

111   Témoignage de Fernand Gregh sur Charles
            Haas *Gregh* 45-46.

(112)   M. d'Utraine *J S :* IV, 446.

113   Duroc *J S :* IV, 437.
            M. d'Utraine jadis « hostis » *J S :* IV, 445.
            Duroc-Worms *J S :* IV, 443; cf les notes de
            M. Pierre Clarac, pp. 1030 et 1031.
            Antoine Desroches *J S :* IV 426, 427 et 430-
            431.

115   Mme Desroches *J S :* IV, 433, 426, 432 et 778.

116   « Basse extradition juive » du duc de Marengo
            J S : IV, 542.
            Duc d'Austerlitz *J S :* IV, 544.

(117)   Conduite de Swann en 1870 *R* II, 713.

118   Allusions aux duels du narrateur cf *R* I, 853,
            924; II, 355, 608; III, 82-83, 483, 834. On
            notera en outre qu'à la mort de Gustave de
            Borda qui fut son témoin contre Jean Lorrain,
            Marcel Proust écrivit pour *Le Figaro* un article
            nécrologique signé d'un pseudonyme dans le-
            quel il tint à rappeler son propre duel : « La
            dernière personne, si notre mémoire est exacte,
            qu'il assista sur le terrain (...) fut notre colla-

borateur, M. Marcel Proust » (26 décembre 1907, reproduit dans *E A :* V, 549). Procès-verbal du duel de Marcel Proust avec Jean Lorrain : *Le Figaro* et *Le Journal,* 7 février 1897. Article de Paul Souday sur *Le Côté de Guermantes : Le Temps,* 4 novembre 1920.

119   Lettres de Proust à Paul Souday *C G* III, 85 *sq* (novembre 1920).

Le duc de Guermantes et le ministre de l'Instruction Publique cf *R* II, 237.

120   Habitués de la maison de Jupien *R* III, 835 et 829.

Saint-Loup et la guerre *R* III, 739 et 841.

Bloch et la guerre *R* III, 739.

Lettre à Lucien Daudet *Daudet* 103-104.

121   Lettre à Mme Catusse *Catusse* 119-121.

122   M. de Charlus me tapa sur l'épaule *R* III, 808.

123   N'a pas de patriotisme *R* III, 774.

Saint-Loup ne dit jamais « boche » *R* III, 841.

124   Le mot boche dans quelques siècles... *R* III, 728.

L'artiste et la patrie *R* III, 888.

Le créateur et les événements *R* III, 728.

Lettre à Lucien Daudet *Daudet* 135 (mars 1915).

125   Hommage aux Larivière *R* III, 845-846.

(128)   Lettres à Mme Straus sur ses spéculations *C G* VI, 125 (vers 1911) et 145 (novembre [?] 1912).

129   Lettre à M. Straus *C G* VI, 242 (juin 1914).

Allusions de Proust à sa ruine *C G* VI, 155 (lettre à Mme Straus, fin décembre 1912); *C G* VI, 248 (lettre à M. Straus, 29 octobre 1915); *Catusse* 117 (lettre à Mme Catusse, 15 octobre 1914).

Ruine relative du narrateur *R* III, 640.

130   Charme esthétique des certificats d'action, *R* I, 455.

Conversation avec M. de Norpois sur les placements *R* I, 454.

131   « L'important c'est de perdre » *Bibesco,* 115.

(135)   La duchesse de Guermantes et Bergotte *R* II, 211.

TABLE

DEUXIÈME PARTIE :

LA JUIVERIE ANOBLIE

Le lieutenant-colonel Picquart

TROISIÈME PARTIE :

LA JUIVERIE PRESCRITE

Charles Haas

QUATRIÈME PARTIE :
AU-DELA DE LA JUIVERIE

ACHEVÉ D'IMPRIMER
— LE 15 JANVIER 1979 —
PAR L'IMPRIMERIE FLOCH
A MAYENNE (FRANCE)

(16546)

NUMÉRO D'ÉDITION : 1146
DÉPÔT LÉGAL : 1er TRIMESTRE 1979